미술관에서 발견한 돈 버는 이야기

-명화 속에 숨겨진 재테크 비법

미술관에서 발견한 돈 버는 이야기 1

발 행 | 2024년 1월1일
저 자 | 허정혁
펴낸이 | 한건희
펴낸곳 | 주식회사 부크크
출판사등록 | 2014.07.15(제2014-16호)
주 소 | 서울특별시 금천구 가산디지털1로 119 SK 트윈타워 A동305호
전 화 | 1670-8316
이메일 | info@bookk.co.kr

ISBN | 979-11-410-6211-8

www.bookk.co.kr
ⓒ 미술관에서 발견한 돈 버는 이야기 1

미술관에서 발견한 돈 버는 이야기

- 명화 속에 숨겨진 재테크 비법

허정혁 지음

작가 소개

허정혁 (許正赫)

집안 내력대로 어려서부터 수학이나 과학과목은 싫어했고 소설과 역사를 좋아하여 국문과나 사학과에 가서 소설가나 역사학자가 되려고 했었지만 결국 아버지(서울대 기계공학과 졸업)와 같이 사회와 타협(?)하며 살기 위해 고려대에서 경제학을 전공하였고, 순전히 운(?)으로 영국 외무성 장학금을 받아 경영전략을 전공으로 런던비즈니스스쿨(LBS)에서 MBA 과정을 공부했다. 용산 미8군에서 카투사로 군대생활을 마쳤고, 삼성전자 전략마케팅실, CJ주식회사 전략기획실, 동부그룹(現 DB그룹) 해외전략실 등에서 근무했으며, 2023년부터는 30여 년에 걸친 길다면 길고 짧다면 짧은 직장 생활을 뒤로 하고 독서와 집필에 전념 중이다. 지금껏 총 18권의 저서를 출판했으며, 평생 총 100권의 책을 쓰기 위해 오늘도 꾸준히 노력한다.

CONTENTS

들어가며

미국 팝 아트의 거장인 'Andy Warhol(앤디 워홀)'이 작품의 주제에 대해 고민하다가 뾰족한 아이디어가 떠오르지 않자 주변 친구들에게 의견을 구했다. 하지만 귀가 번쩍 뜨이는 의견이 없어 의기소침해 있던 중, 한 친구가 그에게 다가와 정곡을 찌르는 질문을 했다.

"넌 이 세상에서 제일 사랑하는 게 뭐야?"

이 질문에서 뭔가 심오한 것을 깨달은 앤디 워홀, 그는 바로 '돈'을 그리기 시작했다. 그래서 탄생한 작품이 바로 그의 1981년 작 'Dollar Sign(달러).

자신이 가장 사랑하던 '돈'을 예술 작품으로 승화시킨 앤디 워홀과 마찬가지로 필자 역시 돈을 사랑까지는 아니더라도 많이 좋아는 한다. 우리가 살고 있는 이 자본주의 사회에서 돈은 모든 가치와 능력의 척도임은 물론 돈이 있어야 행복하면서도 격조 높은 삶을 살 수 있는 가능성이 아주 많이 높아지기에. 필자 주변의 다른 사람들 역시 겉으로는 안 그런척하면서도 속으로는 내심 돈을 어주 좋아한다. 그래서 나는 만인의 연인(?)인 돈에 관해서 쓰기로 했다.

이 책은 미술관에 전시된 명화 속에 담겨 있는 재테크 비법을 필자 나름대로 해석 및 정리한 총 2권 중 그 첫 번째 책으로서, 제일 먼저 이 책의 서론 부분에서는 명화 속에 묘사된 각박한 세상과 서글픈 우리네 인생을 살펴 본 후 이러한 풍진 세상을 살아나가는 데 왜 돈이 필요한지에 대한 근거를 제시하였다. 한마디로 부자가 되야 하는 이유를 설명한 것. 그리고 이러한 부를 축적하고 유지하기 위해서 왜 근검 절약하는 생활습관이 반드시 필요한지에 대한 내용을 담았다. 이를 뒤따르는 본론에서는 본격적인 투자를 위한 종자돈을 모으는 방법 (자본의 본원적 축적)과 제대로 된 (즉, 손실은 최소화하고 수익은 극대화하는) 투자를 하기 위한 정보 수집 방법을 서양 회화 속 내용을 기반으로 하여 정리하였다. 이러한 1권을 잇는 제2권에서는 본격적인 종자돈 활용을 통해 부를 불리는 구체적인 방법에 대해서 제시할 예정이다. 이 역시 서양 명화가 담고 있는 교훈 혹은 은유(Allegory)를 중심으로 말이다.

짧다면 짧고 길다면 긴 지난 1년여 동안 시중에 나와 있는 수많은 미술 및 재테크 관련 서적, 신문 기사, 그리고 인터넷 정보를 읽고 또 읽으며, 또한 미술관과 박물관을 수시로 방문하며 이 책을 위한 영감을 떠올리려 애썼으나, 이미 너무나도 다양한 재테크 서적이 시중에 나와 있기에 "진정한 화가에게 장미 한 송이를 그리는 것보다 어려운 일은 없다. 장미를 제대로 그리려면 지금껏 그렸던 모든 장미를 잊어야 하기 때문이다"라는 격언이 문득문득 뇌리를 스쳐가며 좀처럼 글의 진도가 나가지 않았다.

하지만 '미켈란젤로'가 그의 대작 '천지창조'를 그리기 직전 시스티나 성당의 광활한 벽면 아래에서 느꼈을 엄청난 예술적 도전 정신을 지속적으로 가슴 속에 되살리려 노력하는 와중에 필자 역시 고물(?) 컴퓨터와 키보드 앞에서 주제 넘게도(!) 엄청난 예술적 도전 정신을 느끼게 되었으니. 수 톤의 바위에 눌린 듯 의자에 앉기만 하면 느껴지는 극심한 등의 통증과 키보드에 부딪칠 때마다 엄습해 오는 손가락 마디마디의 고통을 참아내며, 또한 "제 혀에 넘치는 힘을 주시어 당신의 영광의 섬광, 그 불티 하나만이라도 미래 사람들에게 남길 것을 허락하소서"라며 자신의 저서인 '신곡'에서 처절하게 외친 '단테'의 간절한 소망을 가슴으로 받아들이며 한 줄 한 줄 쓴 끝에 드디어 책 두 권을 완성하게 되었다.

그리스 신화에서는 모든 죽은 자가 다섯 개의 강을 건너야 한다고 한다. 즉, 슬픔의 강 '아케론', 탄식의 강 '코키투스', 정화의 강 '플레게톤', 증오의 강 '스틱스', 그리고 마지막이 망각의 강 '레테', 이렇게 5개의 강 말이다. 그리고 이 강들을 굽이굽이 거치며 망자(亡者)의 영혼이 새롭게 탄생할 준비를 한다고 하니. 책 한 권을 탄생시키는 과정 역시 새로운 생명의 탄생이라고 부를 수 있다면 필자 역시 이 과정에서 권태, 게으름, 능력의 부족함에 대한 원망 등을 끝도 없이 온 몸으로 느꼈지만 망각의 강 '레테'를 건너며 이제 모두 잊고 다시금 새로운 책을 준비하려고 한다.

"이 세상에서 가장 위험한 자는 모든 책을 읽은 사람도, 단 한 권의 책도 읽지 않은 사람이 아니라 딱 한 권의 책만 읽은 사람이다"라는 말과 같이, 이 책 또한 당연히 투자와 부의 축적에 관한 모든 진리를 담고 있지는 못하므로 필자는 독자들이 다른 책 혹은 신문 기사도 열심히 읽어 자신만의 부에 대한 이론을 정립시키기를 바란다. 또한 이에 따라 실천하여 궁극적으로는 큰 부자가 되는 것 또한. 마지막으로 이 책이 부자가 되기 위한 투자지침서로 심오한 진리를 담고 있다 해도 움베르토 에코가 쓴 소설 '장미의 이름'에 등장하는 다음의 구절에 따라 자신만의 편협함에서 벗어나 다양하면서도 깊은 지식을 축적하고 실천하기를 바라마지 않는다.

"인류를 사랑하는 사람의 할 일은 사람들로 하여금 진리를 비웃게 하고 진리로 하여금 웃도록 만드는 데 있는 거야. 유일한 진리는 진리에 대한 광적인 정열에서 우리가 해방되는 길을 배우는 데 있기 때문이지."

자, 이제 진리에 대한 광적인 정열에서 해방되기 위

한 우리의 여정을 시작해 보도록 하자.

대치동에서 한 겨울 떠오르는 붉은 태양을 바라보며,

작가 허정혁

제1부. 서론

: 이 풍진 세상을 어떻게 헤쳐

나갈꼬?

"원래 세상은 더럽고, 인생은 서럽다."

왠지 가슴 깊은 곳을 찌르는 듯 하면서도 조금은 냉소적으로 들리기도 하는 이 말, 어디선가 어렴풋이라도 들은 기억이 나시는가? 최근 (2023년 3월) 개봉한 어느 한국 영화에 등장했던 이 기묘한 댓구를 이루는 대사에 동의하지 않으신다면 지금부터 귀를 쫑긋(!) 세우고 필자의 말을 경청하시기 바란다.

먼저 "세상은 더럽다(!)"부터 시작해 보자. 지구 상에 존재하는 여느 종교와 마찬가지로 (당연히 사이비는 빼고 ^^) 가톨릭에도 'Seven deadly sins (인간의 일곱 가지 중죄)'라는 것이 있는데, 인간의 삶을 파괴함과 동시에 영혼을 지옥으로 보내 버리는 이 일곱 가지 죄악이란 탐식(Gluttony), 나태(Sloth), 정욕(Lust), 교만(Pride), 분노(Wrath), 시기(Envy), 탐욕(Greed)을 가리킨다고 한다. 이 개념이 처음 등장한 때가 서기 6세기 경이므로 (가톨릭) 신부님들께서는 지금까지 무려 1000년이 훌쩍~ 넘도록 죽어서 지옥 가고 싶지 않으면 살아 있을 때 항상 회개하고 기도하면서 죄악을 멀리하라고 죄 많은 중생들에게 큰 소리로 설파하셨다는 건데...흠, 관점을 조금 달리해 보면, 저 먼 옛날부터 우리 인간들이 얼마나 저런 종류의 중죄에 푹~ 빠져 살았으면 종교인들께서 친절하게도(?) 죄의 항목과 처벌에 대한 규정까지 문자로 세세히 규정해 놓았을까 하는 생각이 들기도 하니. 아울러 중세 유럽에서는 왕족이나 귀족, 혹은 성직자를 제외한 거의 모든 백성들이 글을 모르는 문맹이었기에 이렇듯 무지몽매한 대중을 교화하기 위해서 그림을 십분 활용하기도 했는데, 아래 보시는 네덜란드 화가 'Hierronymus Bosch(히에로니무스 보쉬, 1450~1516)'가 그린 'The seven deadly sins and the four last things(일곱 가지 대죄와 네 가지 마지막 사건)'라는 그림 역시 그 중 하나가 되겠다.

간략히 가운데 원 안의 그림들을 12시 방향에 위치한 그림부터 (시계 방향으로 돌아가며) 설명해보면, 첫 번째 그림은 '탐식'과 관련된 것으로 항아리째 술을 벌컥벌컥 마시는 남자와 게걸스레 꾸역꾸역 음식을 입으로 밀어넣는 남자가 주연으로 등장한다. 그 뒤에서 그들이 먹을 닭고기를 들고 대기하는 하인은 찬조 출연 중. 두 번째는 '나태'를 나타내는데, 한 여인이 대낮인데도 자신이 해야 될 일은 하지 않고 난로 옆에 앉아서 꾸벅꾸벅 졸고 있다. 심지어 자신에게 복음을 전파하기 위해 간절한 눈빛을 보내는 수녀님은 전혀 아랑곳 하지 않고서. 그 다음은 '정욕'. 한껏 멋을 낸 남녀 커플이 분홍 텐트 안에서 은근슬쩍 수작질(?)을 벌이고 있으며, 그 앞에서는 어릿광대들이 야릇한 몸짓으로 광란의 춤을 추고 있다. 네 번째는 '오만'으로, 값비싼 가구와 장식물로 가득 찬 방 안에서 한 여인이 거울에 비친 자신의 모습을 바라보며 감격해 하고 있는데, 아뿔싸, 거울에 비친 그녀의 모습은 사악한 마귀의 얼굴이니. 다섯 번째 그림은 '분노'를 상징하며, 한 여인이 죽기 살기로 싸우고 있는 두 남자를 말리려고 애써 보지만 살기 등등한 싸움의 당사자는 그녀마저 칼로 찌를 기세다. 여섯 번째는 '시기'로, 한 부부가 돈이 아주 많아 보이는 부자를 질투 어린 눈빛으로 째려보고 있는 동시에 목하 연애 중인 그네들의 딸은 남친의 얼굴이 아닌 돈주머니만 뚫어지게 바라보고 있으니. 마지막 그림은 '탐욕'을 상징하는데, 그림 속의 판사는 언뜻 억울한 사람(=원고)의 사연을 귀 기울여 듣고 있는 듯하지만 뒷구멍으로는 피고(=나쁜 놈)로부터 뇌물을 받아 먹고 있다. 게다가 그 앞에 자리 잡고 앉은 관리 둘은 이를 일부러 외면하고 있고. 자, 그렇다면 이 글을 읽으시는 독자 가운데 저 일곱 가지 죄를 태어나서 지금까지 단 한번도 저지르지 않은 분께서는 저들에게 짱돌을 던지시라. 하지만 당연히(!) 그럴 분은 아무도 없을 것이다. 엄격하게 따지자면 단 한번이라도 행동이 아닌 생각만 했다 해도 죄를 저지른 것이나 마찬가지기에.

그런데 인간의 본성에 비추어 봤을 때 살면서 위의 일곱 가지 중죄를 멀리하는 것이 영 불가능하다고 느꼈던지 15세기 유럽에서는 (평생을 죄로 충만한 삶을 살았더라도) 죽을 때 불신(Lack of faith), 절망(Despair), 참아내지 못함(Impatience), 교만(Pride), 탐욕(Avarice) 등 5가지 유혹만 극복하면 천국에 갈 수 있다는 내용을 담은 "아르스 모리엔데(Ars Mordendi, '죽음의 기술')"라는 책이 크게 유행했다고 한다. 아, 하지만 그게 어디 사람 맘처럼 쉽게 되는가, 앞서 등장한 그림을 그린 화가의 또 다른 작품인 'Death and a miser (구두쇠의 죽음)'만 봐도 인간이 얼마나 어리석고 탐욕에 찌든 존재인 가를 알 수 있으니. (그림 속에서) 죽음이 임박한 구두쇠는 천사의 간절한 애원에도 불구하고 악마가 건네주는 돈 꾸러미를 몰래 받아 챙기려고 장작개비같이 빼빼 마른 손을 쭉~ 뻗치고 있다. 이승을 떠날 날이 얼마 남지 않았기에 현세에서는 치료비 외에는 단 한 푼도 쓰지 못할 것은 물론 저승으로 가져갈 수도 없는 재물을 탐내고, 그러한 탐욕으로 인해 지옥에서 영원토록 형벌을 받아야 할 것을 알면서도 인생의 마지막까지 욕심을 버리지 못하는 존재가 바로 인간이라는 것이다.

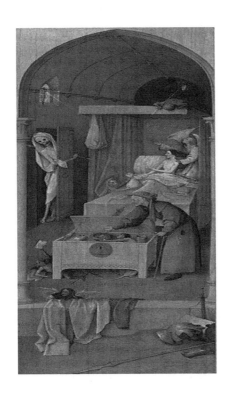

　자, 그렇다면 한 번 상상해 보시라. 저러한 본성을 가진 무려 80억 명의 '욕망 덩어리들'이 얽히고 설켜 있는 이 세상이 얼마나 '더러운' 곳일지 말이다. 만일 저 높은 우주에서 지구의 인간들이 벌이는 전쟁, 학살, 살인, 폭력, 사기, 방탕함 등등, 굳이 나열하자면 끝도 없을 파렴치한 행각들을 내려다 볼 수만 있다면 요지경도 정말 그런 요

지경이 없을 것이다. 하지만 어디 인간 세상만 이렇던가, 매몰차게 잔인한 것은 우리를 둘러싼 자연도 마찬가지다. (물론 어느 정도 인간의 책임이 있기도 하지만) 지진, 산불, 홍수, 가뭄, 태풍 등등 이루 헤아릴 수 없이 많은 자연재해가 우리 삶의 기반을 파괴한다. 아울러 자연을 이루는 또 다른 구성 요소인 동물들이 사는 야생 역시 말 그대로 약육강식이 지배하는 곳이 아니던가. 우리가 어릴 적 동화책에서 읽었던 "나뭇잎은 애벌레가 뜯어 먹고, 애벌레는 참새가 잡아 먹고, 참새는 뱀에게 잡아 먹히고, 뱀은 족제비가 잡아먹고, 족제비는 늑대에게 잡아 먹히고, 늑대는 호랑이에게 물려 죽고…"와 같은 비정함이 동물들이 사는 저 대자연마저 지배하고 있지 않는가 말이다.

하지만 그나마 이렇게 본능에 따라서 단지 먹고 살기 위해서, 혹은 자신의 영역을 지키기 위해 다른 동물(혹은 식물)을 해하는 것은 좀 나을지도 모른다. 영어에는 자신이 살기 위해 동족(同族)을 해하거나 심지어 잡아먹기까지 하는 것을 뜻하는 'Dog-eat-dog society (개가 개를 잡아먹는 사회)'라는 표현이 있는데, 이와 같은 동족상잔

(同族相殘)의 참혹함은 우리들의 현실 속에서 하루가 멀다 하고 파노라마같이 펼쳐지고 있고 화가들 역시 이를 화폭에 담곤 했다. 아래의 그림은 바로크의 대가 'Peter Paul Rubens(페테르 파울 루벤스, 1577~ 1640)'가 그린 'Medusa(메두사)'라는 명화인데, 'Perseus(페르세우스)'에게 이제 막 죽임을 당한 눈을 부릅뜬 메두사의 얼굴보다 더 기괴하게 보이는 것은 서로를 꼬리부터 잡아 먹고 있는 뱀들이다. 자신은 절대 잡아 먹히지 않을 것이라는 교만에 빠진 뱀은 상대의 꼬리부터 게걸스레 입에 밀어 넣고 있지만, 흠, 웬걸, 자신의 꼬리 역시 옆의 뱀에게 잡아 먹히고 있으니. 서로의 몸을 다 뜯어 먹은 뱀들이 결국에는 어떻게 될 지 상상하기란 그리 어렵지 않다.

스스로를 선택 받은 민족이라 굳게 믿는 유대인들은 우리 말로 '세계를 고친다'라는 뜻을 가진 'Tikkun Olam(티쿤 올람)' 사상을 굳게 신봉한다고 하며, 이에 따르면 "조물주께서 세상을 창조실 때 처음부터 완벽하게 만드신 것이 아니라 지금도 창조 작업을 하고 계시기에 인간은 조물주의 파트너로서 세상을 완전하게 만들어야 할 책임이 있다"라는 건데...아니 그렇다면 신께서 애초에 이 세계를 얼마나 불완전하게 만드셨길래 이토록 혼란스러운 건지, 그리고 그 후에라도 창조 사업을 계속 해나가셨다면 이 지구는 점점 더 살기 좋은 곳이 되어야 마땅하건만 대체 왜 그와는 반대로 아침마다 신문을 펼치기조차 너무 두려운 곳이 되어 버린 것인지 정말로 의아한 일이 아닐 수 없다. (몇몇 종교인들의 주장처럼 이 모두가 죄 많은 인간의 탓일지도 모르겠다만...) 자, 지금까지 필자가 "세상은 더럽다"라는 말에 대한 여러 가지 근거들을 제시하였는데, 어떠신가, 이제 독자 여러분께서도 100%는 아닐지라도 어느 정도까지는 필자의 말에 동의하고 계시지 않는가? 아직도 별다른 감흥이 없으신 분들을 위해 미국의 사회운동

가인 'Susan Sontag(수잔 손택)'이 쓴 '타인의 고통 (Regarding the pain of others)'에서 발췌한 글을 끝으로 전해드리며 이제 "인생은 서럽다"로 넘어가 보도록 하겠다.

"이 세상에 온갖 악행이 존재하고 있다는데 매번 놀라는 사람, 인간이 얼마나 섬뜩한 방식으로 타인에게 잔인한 해코지를 서슴지 않고 저지를 수 있는지 나타내는 증거를 볼 때마다 끊임없는 환멸을 느끼는 사람은 도덕적으로나 심리적으로 아직 미성숙한 인물이다. 나이에 상관없이 무릇 인간이라면 이 정도로 무지하거나 세상만사를 망각할 만큼 순진해 빠지거나 천박해서는 안된다."

서럽기 그지없는 인생살이

이번에는 장황하게 설명하는 대신 그림 한 점을 먼저 소개해 올리련다 (애석하게도 저작권 관계로 본 책에는 싣지 못함). 그 그림은 바로 영국 화가 'Laurence

Stephen Lowry(로렌스 스테펀 로우리)'의 1957년 작 'Going to the work(출근)'. 제목만 봐도 바로 알 수 있듯이 그림 속에 펼쳐진 세상은 아침 출근길인 듯 하다. 수많은 사람들이 상하좌우로 엇갈려 각자의 회사를 향해 걷고 있는데 그들 모두 몸이 꾸부정한 채 앞만 보고 바쁜 걸음을 옮기고 있다. 사람들의 얼굴은 잘 보이지 않지만 십중팔구 동태 눈깔에 잔뜩 찌푸린 표정이리라. 다들 머리 속에 오늘 하루를 또 어떻게 버텨내야 할 지 산더미만한 고민을 담고 있을 테니 당연히 옆 사람에게는 눈길 한 점 주지 않을 것이고, 쥐꼬리만한 월급이나마 나올 날도 아직 한참 남았으니 주머니 사정도 여의치 않을 것이다. 흠, 참으로 놀랍지 아니한가, 무려 70여 년 전의 모습이건만 현재 우리네 출근길 모습과 너무 흡사하다는 것이? 이렇듯 생계를 위해 그다지 하고 싶지도 않은 일을 자신과 별로 맞지도 않는 사람들과 함께 해야 한다는 것은 분명 불행하면서도 서러운 일이다. 그 누가 그랬던가, 역사는 반복된다고, 한 번은 희극으로, 그리고 또 한 번은 비극으로. 그러나 인생은 대부분 비극으로 반복되는 듯하다.

그래도 정기적으로 월급이 나오는, 그냥 한 번 버텨라도 볼 직장이나마 있는 사람들은 (상대적으로) 행복하다고 해야 될 지도 모르겠다. 경기 불황과 경쟁 심화로 월소득이 150만 원 남짓한 자영업자가 넘쳐나고, 취업이나 진학을 아예 포기해 버린 국내 청년 인구가 50만 명에 이른다니 말이다. 어디 그 뿐이런가, 사업 실패로 80대 부모 집에 얹혀 살게 된 50대 독신 남성이 사회에 대한 불만과 부모와의 갈등으로 강력 범죄를 벌이는 경우도 점점 늘어나고 있으며 (이를 신조어로 '8050 문제'라고 부른다), 천인공노할 전세 사기를 당해 스스로 목숨을 끊는 가슴 저린 사건마저 우리 주변에서 우후죽순 격으로 발생하고 있다. 그러니 직장인들이여, 월급만 제 때 나오고 지친 몸 눕힐 좁디 좁은 자기 집 한 채만 있다면 웃는 얼굴은 아니더라도 잔뜩 찡그린 표정으로는 출근하지 마시길...물론 힘들겠지만 최소한 노력이라도 해보심이?

아마 필자를 포함한 많은 사람들이 어릴 적 이런 꿈을 꾼 적이 있을 것이다. 회사 가는 게 너무 좋아서 신바람이 나서 출근하고, 자상하기 그지없는 상사 및 코드가 잘 맞는 직장 동료들과 화기애애한 사무실에서 하루 종일 즐기듯 일하며, 퇴근 시간이 되면 바로 칼 퇴근하지만 수억대의 연봉을 받는, 그런 삶에 대한 꿈 말이다. 하지만 그런 삶은 70년 전이나 지금이나 이 지구상에 존재하지 않는다. 왜? 대부분의 경우 연봉은 노동 시간이나 스트레스의 강도에 비례하기에! (유일한 예외가 있다면 모태 금수저 정도가 아닐까?) 결론적으로, 범죄의 당사자 혹은 피해자가 되지 않으면서 그나마 입술에 풀칠할 정도의 월급이라도 주는 직장이나마 있는 것이 행복한 인생살이 축에 낀다니, 아, 정말로 인생은 서럽지 않은가? 옛 성현의 말씀은 정말로 토씨 하나도 틀린 것이 없으니, 진정 삶은 고통이다 (그나마 간혹 '헬조선'으로도 불리는 이 곳에 태어났으니 이 정도지 해외로 눈을 돌려보면 전쟁이나 가뭄으로 극심한 기아에 허덕이다가 세상을 등지거나 가짜 약을 먹고 죽는 사람들도 부지기수이다).

돈이 없다면 더더욱 서러운 인생, 이제는 벗어나 봐야 하

지 않겠는가?

아주 오래 전부터 동양 미술에는 가난 때문에 고향을 등지고 떠도는 유랑민을 그린 '유민도(流民圖)'의 전통이 있었으며, 그 중 명나라 화가 '주신(周臣)'이 그린 그림이 가장 유명하다고 한다. 그가 그린 아래 그림에서 보시는 바와 같이 헐벗고 굶주린 그네들은 구걸한 음식을 허겁지겁 먹거나 땅에 엎드려 동냥을 하고 있으니.

삶에 지친 사람들을 그림의 주요 소재로 삼은 건 동양뿐 아니라 서양에서도 마찬가지였는데 스위스 화가인 'Ferdinand Hodler(페르디난트 호들러)'는 삶의 무게에 짓눌린 다섯 노인을 모델로 한 'Die Lebensmüden(삶에 지치

다)'라는 작품을 1892년에 탄생시켰다. 한 두 개 잎사귀만 달랑 남은 나무 앞에 앉아 있는 다섯 노인은 표정이나 행색으로 보아 그리 풍족해 보이지 않는다 (제목 역시 노인의 불행한 상태를 암시하고 있다).

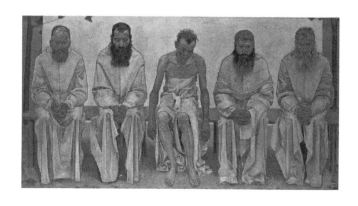

마지막으로 영국 화가 'William Hogarth(윌리암 호가스)'가 그린 'Gin lane(진 거리, 1751년 작)'을 살펴 보도록 하자. 누가 봐도 이 그림은 모든 것이 엉망진창인 도시의 뒷골목을 화폭에 담은 것임을 금새 알아차릴 수 있으며, 시궁창과 술 취한 인간 군상들은 물론 그들의 정신과 영혼이 썩어 들어가는 악취가 코 끝 깊숙이까지 느껴지는

듯 하다. 그림 중앙의 술에 취한 여인은 담배를 집으려다가 아기를 계단 아래로 떨어뜨렸는데, 그보다 더 소름 끼치는 건 그녀가 현재 일어나고 있는 상황에 대한 자각이 전혀 없다는 것 (뭐가 그리 좋은지 활짝 웃고 있다). 그녀의 발 밑에는 허구한 날 술만 마셔 영양 실조에 걸린 남자가 죽어가고 있고, 그림 우측에는 한 노인이 개가 뜯어먹던 뼈다귀를 뺏어 먹으려 한다 (황당해 하는 개의 표정은 덤). 그 외에도 죽기살기로 싸움을 벌이는 사람들, 우는 아기에게 술을 먹이는 여인, 죽은 사람을 관에 넣으려 하지만 관의 크기가 너무 작아 시체가 제대로 들어가지도 않는 등...정말 지옥이 따로 없을 듯하다 (기타 잔인한 장면에 대한 설명은 생략하련다). 그런데 이러한 모든 아수라장의 배후에는 17세기 중반 네덜란드에서 개발된 '진(Gin)'이라는 새로운 알코올이 도사리고 있었으니. 이 액체는 (석회가 섞여 있어 절대 그냥 마실 수 없는) 물을 대체하던 맥주와 사과주보다 훨씬 싸서 어느 순간부터 영국, 특히 런던 하층 계급의 필수 음료가 되었으며, 당시엔 매우 귀했던 우유보다도 당연히 기격이 쌌기에 어른은 말살 것도 없고 아이들까지 모두 이 값싼 술에 취해버렸다는 것이다. 돈이 많았다면 당연히 이런 저질 술 대신 포도주나 브랜디를 마셨겠지만 주머니 사정이 여의치 않은 대부분의 하층민들은 이 싸구려 알코올을 입에 털어 넣을 수밖에 없었으며, 이 모든 난장판의 배후에는 바로 '가난'이 있었다.

물론 저들에게 가난의 모든 책임을 지우는 것은 어리석은 일일 지도 모른다. 역사학자들에 따르면 '진 거리' 속의 등장 인물들은 전적으로 인클로저 운동(Enclosure movement, 영국에서 모직물 공업이 발달하며 양털 가격이 폭등하자 지주들이 수입을 늘리기 위해 농경지를 양을 방목하는 목장으로 만든 사회 현상을 뜻하며, 그 결과 토지를 소유한 계층은 부를 축적할 수 있었지만 농민들은 농토를 잃고 도시로 몰려들어 저임금 노동자가 급증하였음)의 여파로 저 지경에 이른 것이며, 내란 등으로 자기 나라에서 거처를 잃고 흘러 들어온 외국인들과 뒤섞여 한 줌의 희망도 없는 도시 뒷골목의 주인공이 된 것이라고 한다. 또한 '유민도'의 인물들 역시 자신들의 게으름이나 방종이 아닌 원나라 말 - 명나라 건국 초기의 전쟁과 혼란으로 인해 타발적으로 발생한 걸인들이라 하니. 그리고 페르디난트 호들러의 그림 속에 등장하는 노인 다섯 명도 그들의 의지와는 전혀 상관없는 전염병이나 노화로 인한 빈곤 때문에 삶에 지쳐 버렸을지도 모른다.

하지만 이유야 어찌됐건 간에 그림 속의 그들은 궁

핍하고 불행하며, 무엇보다도 인간으로서의 존엄성을 상실한 상태에 처해있다. 이러한 부의 결핍과 자존감의 상실은 결국 자신의 의지대로 삶을 통제할 수 없는 상황을 초래하며 그로 인해 충족되지 못한 욕망의 파편들은 겹겹이 쌓여 쓰레기 산 만큼이나 높은 한(恨)의 산이 되어 버릴 것이다. 비록 때때로 가진 자들의 알량한 동정심과 가식적인 눈물 몇 방울로 다소의 위안을 얻을 수 있을 지도 모르지만, 그건 절대 궁극적인 해결책이 될 수 없다. 그렇게 그들의 간절한 열망이 냉엄한 현실 속에서 좌절되고 방치되는 일이 반복되게 되면 가슴 속에는 잔인한 광기와 검은 욕정만이 남아 자기 자신을 파괴하고 더 나아가 사회에 보복하려 들지도 모른다. 저 그림들의 다음 장면이 무엇일지 한 번 상상해 보시길.

결론적으로 자본주의 사회에서 경제적인 어려움은 우리 모두에게 가장 큰 두려움을 안겨주는 동시에 생존마저 위협하는 매우 치명적인 문제다. 돈 없이는 단 하루도 살 수 없는 이 사회에서 가난은 삶을 지옥으로 만들어 버릴 수도 있기에 더더욱 그렇고 말이다. (앞서 언급한 것처럼) 그렇지 않아도 원래 세상은 더럽고 인생은 서러운데다가 이에 더해 경제적으로 궁핍하기까지 하다면 삶에서의 고통이 몇 곱절 더 가중될 것이다. 당신이 성인(聖人)이 아닌 이상 돈 없이도 행복할 수 있다고 하는 건 생판 거짓말이다. 돈이 많아도 행복하지 않을 수는 있지만 부(富)의 절대적인 결핍은 99.9%의 확률로 인간을 불행의 구덩이로 깊숙이 밀어 넣을 것이기 때문이다.

그럼 이번에는 위의 그림들과는 달리 소위 말하는 '부르조와'를 그린 그림들을 한 번 살펴보도록 하자. 아래의 'Mr and Mrs Andrews(앤드루스 부부의 초상)'는 영국 화가 'Thomas Gainsborough(토마스 게인즈버러)'가 1749년에 그린 한 부부의 초상화로서 언뜻 봐도 그림 전체에서 부티가 좔좔 넘쳐 흐른다.

할리우드 배우 '크리스토퍼 월킨'과 살짝 닮은 듯한 남자 주인공은 고급스러워 보이는 검은 새틴 바지와 값비싼 사슴 가죽으로 만든 재킷을 입고 있으며, 당시에는 오직 '다이아 수저'들만 즐길 수 있었던 사냥이 취미인지 플린트록 머스킷 총을 옆구리에 끼고 있다. 이런 그의 존재를 더더욱 부각시켜 주는 건 자신의 주인을 존경의 눈빛으로 올려다 보는 충직한 사냥개. 또한 그의 부인은 광택이 선명한 파스텔 블루 색상의 드레스, 부드러운 색감의 노랑 모자, 핑크 빛 구두 등 온통 화려한 로코코풍 패션으로 치장하고 있기에 단번에 부유한 집 마나님임을 알 수 있으니. 그런데 저 그림은 초상화라면서 사람은 너무 작게 그리고 뒤의 풍경을 엄청 크게 그려서 마치 풍경화처럼 보이는데? 음, 여기에는 한 가지 비밀이 숨어 있는데, 저 뒤에 보이는 들판과 밭, 언덕, 토지 등이 전부 다 저 부부의 소유란다. 아, 그럼 그렇지, 옥스포드대 출신인 남편의 다소 오만한 자세와 부인의 자못 도도해 보이는 표정 역시 모두 이런 자신감에서 뿜어져 나오는 것이었구나! 저들의 결혼식 기념으로 그려졌다는 이 그림은 그러니까 부부의 공식적인 부동산 자랑질(?)이며 저 그림은 분명 부부가 소유한 집의 거실 벽면을 아주 크게 장식하고 있었을 것이다 (지금은 영국 내셔널 갤러리 소장).

위의 '앤드루스 부부'는 총 9명의 자녀를 두었다는데, 그럼 이번엔 저들의 자식들과 비슷한 호사를 누렸을 것으로 추측되는 부자집 아이들을 그린 그림을 살펴보도록 하자. 아래 그림은 앞서 등장했던 '진 거리'의 화가 '윌리엄 호가스'가 그린 또 다른 작품 (1742년 작)으로서, 그 제목은 'The Graham Children(그래험가 아이들)'이다.

이들의 부친인 'Daniel Graham(다니엘 그래험)'은 영국 왕실에 약재를 납품하던 대형 약재상이었으며 (그림의 배경이 되는) 방을 가득 채운 고풍스러운 가구와 아이들이 입은 고급스러운 로코코풍 의상 역시 이들의 부유함을 드러내기에 전혀 모자람이 없다. 아울러 아이들의 표정 또한 무척 밝으면서도 여유가 흘러 넘치는데, 특히 그림 오른 편에 위치한 한 남자 아이의 얼굴에는 장난기가 가득하니. 아, 진정 이들은 선택 받은 모태 금수저들로 보인다. 그런데 이 아이들과 같은 '모태 금수저'들은 평소에는 뭘 하면서 놀았을까? 혹시 넓디 넓은 거실에서 숨바꼭질을 하며 놀지 않았을까?

위 그림은 프랑스 출신의 영국 화가 'James Tissot(제임스 티소)'가 1877년에 그린 'Hide and seek(숨바꼭질)'이라는 그림이다. 평생을 불우하게 살았던 다른 유명 화가들과는 대조적으로 이른 나이에 큰 성공을 거둔 그는 런던 인근의 최고급 주택가에 자택을 구입하였으며, 이 그림의 배경이 바로 세인트 존스 우드에 있었던 그의 집 거실이라고 한다. 한껏 예쁘게 차려 입은 어린 술래가 눈을 동그랗게 뜨고 잔뜩 들뜬 얼굴로 열심히 바닥을 기어 다니는 와중에 다른 어린이들은 활짝 웃는 얼굴로 의자 뒤에 숨죽여 숨어 있다. 아이들이 뛰노는 거실의 창문은 유리 지붕으로 덮인 온실을 향해 활짝 열려 있고 거실 안에는 고풍스러운 가구와 동양풍 도자기, 사치스러워 보이는 카펫 등이 놓여 있어 한 눈에도 굉장히 잘 사는 집인 것을 알아차릴 수 있으니. 아이들이 재미나게 놀고 있는 동안 이들의 엄마 (혹은 이모)로 보이는 여인이 거실 한 편에 놓인 안락의자에 앉아 조용히 신문을 읽고 있는데, 표정이 참으로 무심하다. 이 그림에는 포함되지 않았지만 분명 아이들 앞에는 히너 몇 명이 홍차와 간식거리를 들고서 대기하고 있으리라.

자, 그렇다면 여기서 한 번 생각해 보시라. 앞서 소개한 불행과 절망에 찌들어버린 밑바닥 인생들에 비해 이들은 얼마나 여유 있고 행복해 보이는지. 이제 독자 여러분들께서도 필자가 앞에서 한 말에 십분 공감하실 것으로 믿는다. 돈이 많아도 행복하지 않을 수는 있지만 부(富)의 절대적인 결핍은 99.9%의 확률로 인간을 불행의 구덩이로 빠뜨릴 것이라는 것에 대해서 말이다.

아마 혹 자는 이렇게 얘기할 지도 모른다. 현재 한국에서 유행하는 '수저론'처럼 모든 인간은 태어나면서부터 (혹은 태어나기 전부터) 사회-경제적인 지위가 정해지며, 이는 야구로 치면 어떤 이는 인생을 3루에서 시작하지만 다른 이는 아예 1루에 출루할 기회조차 갖지 못한다고. 게다가 '흙수저'마저도 없는 '무수저'가 아무리 기를 써서 1루나 2루까지 갔다고 해도 세속적인 성공의 징표인 홈에는 절대 들어오지 못하고 그 전에 한 많은 인생을 마감할 거라고 말이다. 이러한 주장은 우리가 사는 이 세상은 '불

균등의 균형', 즉 소수의 부자와 대다수의 가난한 이들이 균형을 이뤄야만 존립이 가능하다는 말과 상통한다고 볼 수도 있을 것이며, 좀 쉽게 말해서 못생긴 사람이 있기에 잘생긴 사람이 있고, 키 작은 사람이 있기에 키 큰 사람이 있다, 또한 불의가 있어야 정의도 있다, 뭐 이런 논리로 볼 수 있을 것이다. 결론적으로 어떤 사람들은 태생적인 한계로 아무리 노력을 해도 절대 가난을 벗어날 수 없으며 그것이 이 사회를 지배하고 있는 진리라는 것.

작금의 상황에 비추어 볼 때 이러한 생각이 완전히 잘못됐다고 할 수 없지만, 그렇다면 전세계에 존재하는, 혹은 지금도 시시각각 계속 탄생하고 있는 자수성가한 억만 장자들의 존재는 어떻게 설명할 것인가? 예전엔 개천에서도 용 나는 시대였지만 지금은 패러다임(Paradigm)이 완전히 바뀌어서 개천에서 X개가 나기도 너무 힘든 시대라고? 물론 그럴지도 모른다. 하지만 부자가 될 확률이 희박하다고 해서 아무런 노력은 물론 시도도 하지 않고 평생 더러운 세상만 원망하며 살다가 한스럽게 생을 마감할 깃인가? 어느 밥송 가사에 이런 구절이 나온다. 비 오는 날 침대에 누워 옛 일을 후회하며 눈물이나 찔찔 짜는 사람이 이 세상에서 제일 한심한 거라고. 또한 어느 웹툰에는 "자네, 죽는 순간 못 먹은 밥이 생각나겠는가, 아니면 못 이룬 꿈이 생각나겠는가?"라는 질문이 등장하는데, 본래 이 질문은 "(당연히) 꿈이 생각나겠지요!"라는 답을 유도하기 위해서 모 작가가 만들어낸 것이지만 몇 년 후 작가의 답은 이렇게 바뀌었다고 한다. "밥을 먹어야 꿈도 꾸죠!"로. 원작자의 원래 의도와는 좀 다르게 필자는 이 질문에 대해 "지금 밥을 먹으면서 미래에는 고기를 먹겠다는 꿈을 꾸며 꾸준히 노력해야 언젠가 고기도 먹을 수 있고 궁극적으로 꿈도 성취할 수 있죠!"라고 답하고 싶다.

'수저론'에 심하게 경도되어 극도의 패배주의에 빠져 있는 그대에게 한 마디만 더 하련다. 아무 일면식도 없는 무고한 사람들에게 치명상을 입힌 한 '묻지마 범죄자'는 일기에 이렇게 썼다고 한다. "세상이 나를 버렸다. 이젠 필사의 항쟁뿐이다"라고. 하지만 그의 말은 독일의 명장(名將) 'Erwin Rommel(어윈 롬멜)'의 명언인 "You don't need to think that you were abandoned by the world. The world never took you before (세상이 너를 버렸다고 생각하지 마라. 왜냐고? 세상은 단 한 번도 너를 거둔 적이 없기에)"를 머리 속에 떠올려 보면 단번에 어불성설이란 것을 알 수 있다. 생각해보시라. 세상이 우리를 단 한번도 거둔 적이 없는데 어떻게 우리를 버리겠는가. 쉬운 예로 남녀가 단 하루라도 사랑을 했어야 이별도 하는 것이지 둘이 사귀지도 않았는데 어떻게 헤어지느냐 말이다. 만일 더러운 이 세상과 서럽기 그지 없는 삶이 그토록 싫거든 세상이 나를 버렸느니 어쩌니 하면서 남 탓만 하지 말고 당신의 그러한 호전성을 돈을 벌고 부를 축적하는 것으로 승화시킬지어다. 마치 우리에게는 '단테'로 알려진 작가 'Dante Alighieri(단테 알리기에리)'가 19년 간의 억울한 추방 생활을 '신곡(神曲, the divine comedy)'이라는 희대의 명작으로 승화시킨 것처럼. 그 누구도 얘기하지 않았던가, 성공하는 게, 부자가 되는 게 최대의 복수라고 말이다. 특히 이 자본주의에서는 더더욱 그렇다. 다시 말해 괜한 물리적인 보복 혹은 폭력으로 자신과 다른 사람의 인생을 파멸시키지 말고 본인이 가진 특기를 최대한 살려 부를 축적함과 동시에 괴로움을 보상받으며 내적 만족을 꾀하라는 것이다. 결론 : 자신의 감정을 타자(他者)를 부정(否定)하는데 낭비하는 대신 자아에 대한 긍정을 통해 조금이라도 더 부자가 되기 위해 노력하라.

　　이제 세상은 더럽고 인생은 서럽다고 불평 불만하며 나를 둘러싼 세계와 타인을 적대시던 시절은 저 멀리 가버렸다는 확신을 갖고 지금 당장 결단하라. 무엇을 하던 합법적으로 (또한 남에게 피해를 주지 않으면서) 돈을 벌어 그 돈을 저축 및 투자해서 부자가 되겠다는 것을. 하지만 당연히 말로만 하는 결심으로는 부족하다. 옛부터 "心動不如身動(심동불여신동, 마음이 움직임은 몸이 움직임만 못하다)"라는 말이 있지 않던가. 아무런 대책 혹은 구체적인 설명도 없이 우리에게 "부자 되세요!"라고 한 마디씩 툭툭 내던지는 책임 없는 인간들의 빈 말에 귀 기울이지 말고, 이제부터는 필자가 하는 말에 유심히 귀 기울이며 돈 버는 습관을 매일매일 기르고 실천할 지어다. 그리고 이에 더해 돈 버는 것만큼 아끼고 절약하는 것에 대해서도 노하우를 체득하여 직접 몸으로 행동하고 말이다.

돈을 벌고 투자하는 것만큼 중요한 건 항상 아끼고 절약하는 습관을 갖는 것!

'바로크 미술의 대가(大家)', '빛과 어둠의 마술사', '정교한 구도와 탁월한 인물 묘사로 오묘한 인간의 감정을 한껏 담아내는 천재', 이러한 찬사를 받는 역대급 화가가 한 분 계시니, 그가 바로 'Rembrandt Harmenszoon van Rijn (렘브란트 하르먼스 판 레인, 이하 렘브란트)' 되시겠다. 그는 뛰어난 그림 실력만큼이나 인생에서 부침이 심했던 것으로도 유명한데, 평민 출신이었던 그는 예술적 천재성과 귀족 가문 여인과의 결혼이 엄청난 시너지 효과를 발휘하며 속된 말로 한 순간에 인생이 '떡상'했지만 결국에는 자신이 한 때 가졌던 거의 모든 것을 잃고 쓸쓸히 세상을 떠났다.

　위 그림은 렘브란트가 한창 잘나가던 1635년에 그린 'The prodigal son in the tavern(선술집의 방탕아)'로서, 당시 27살이던 그는 화가로서 성공가도를 달리는 것에 더해 권력과 돈을 손에 쥔 처가를 든든한 빽으로 갖고 있었다. 그림 속에서 렘브란트는 자기가 무슨 대단한 귀족이라도 된 것처럼 벨벳과 비단으로 만든 값비싼 옷을 입고 자신

의 부인을 무릎에 앉힌 채 활짝 웃고 있다 (한마디로 술에 얼떨떨하게 취한 취중미소). 그리고 그림 속 탁자에는 그의 '오만함'을 상징하는 듯한 공작새가 놓여 있으며 렘브란트는 자신의 성공을 한껏 자축하려는 듯 술잔을 높이 쳐들고 있으니. 그런데 당시 그의 일상 생활도 이 그림과 별반 차이가 없었다고 하며, 그는 고가의 옷과 가구, 도자기, 골동품, 동물 박제 등등 별 쓸모도 없는 사치품을 마구마구 사들였다고 한다. 물론 그림처럼 음주가무도 흠뻑 즐겼겠지.

하지만 '화무십일홍(花無十日紅, 꽃의 아름다움은 열흘을 가지 못한다)'이라고, 그는 점차 잘나디 잘난 자신을 표현하고자 하는 욕구가 강해지면서 자화상을 많이 그리기 시작했고, 아울러 시류와는 잘 맞지 않는 자신만의 작품 세계를 강하게 고집하면서 세간의 인기가 서서히 추락하고 말았으니. 급기야 1642년 부인마저 사망하면서 그는 본격적으로 내리막 길을 걷는다. 자식들의 연이은 죽음, 가사 도우미들과의 염문과 소송, (사망한 부인의 재산을 지키기 위해 동거하던 여인과 결혼하지 않아 당시에는 범죄였던) 불법 동거죄로 법정에 서는 등 세월에 따라 점점 비참해져 갔고, 결국엔 파산하고 만다. 아래 그의 마지막 자화상을 보시라. 젊을 때의 그 의기양양함은 어디론가 사라져버리고 깊은 절망의 늪에 빠진 한 추레한 노인만 남았다 (아주 자세히 들여다 보면 인생을 달관한 듯 그의 얼굴에 씁쓸한 미소가 살짝 비치기도 한다).

렘브란트에 이어 이번엔 (앞서 등장했었던) 영국 화

가 '윌리암 호가스'가 그린 'A Rake's Progress(난봉꾼의 행각)'라는 작품을 살펴보도록 하자 (이 책에서는 지면 관계상 제일 마지막 그림만 실었음).

총 8개의 그림으로 구성된 이 작품의 제일 첫 번째 그림에서 주인공 'Tom Rakewell(톰 레이크웰, 이하 톰)'은 아버지에게서 엄청난 재산을 상속받자마자 그의 오랜 연인인 'Sarah Young(새라 영, 이하 새라)'에게 일방적인 이별을 통보한다. 2편의 배경은 호화로운 그의 응접실. 펜싱, 악기, 격투기 등 사교를 위한 기술 (말이 좋아 사교지 실제로는 여자들의 환심을 사기 위한 잡기)을 가르치는 교사들이 몰려든다. 그래도 여기까지는 건전한 수준이건만 그 다음 세 번째 그림에서 술에 잔뜩 취한 방탕아 톰은 아침부터 수많은 거리의 여인들과 놀아난다. 흠, 그렇다면 그 다음 장면은 대충 머리 속에 그려지는데? 4편에서 그는 빚을 갚지 못해 교도소에 감금된다 (당시 영국에는 빚을 갚지 못한 채무자들만 감금하는 교도소가 별도로 있었다고 한다). 그는 부친으로부터 물려 받은 재산은 진작에 주지육림에 탕진해 버리고 엄청난 빚까지 지고 말았으니.

그런데 착하디 착한 그의 옛 여친 '새라'는 몇 푼 안 되는 돈이나마 그를 돕기 위해 기꺼이 내놓고 있다. 그리고 5편의 주제는 결혼. 어려울 때 자신을 도와준 새라와 결혼식을 올리는 거냐고? 아쉽지만 땡! 톰은 돈을 노리고 나이 많은 부자 여인과 결혼에 골인. 반면 새라는 이 결혼을 막기 위해 톰의 아이를 안고 결혼식장으로 들어가려고 애쓰지만 결과는... 그 다음 여섯 번째 그림의 배경은 도박장이다. 아직도 정신 못 차린 톰은 부인의 재산마저 도박으로 다 날린다. 어느 정도 예상이 가능한 7편에서 톰은 또다시 엄청난 빚을 져서 전과 2범이 되어 감옥에 가게 된다. 늙은 아내는 그를 찾아와 심하게 바가지를 긁고 (자신의 재산을 탕진한 것은 물론 엄청난 빚까지 졌으니 이는 당연한 귀결!), 그의 아이를 데려온 새라는 충격을 받아 기절한다. 아래 보시는 마지막 8편에서 '방탕아' 톰은 머리를 빡빡 깎이고 옷까지 벗겨진 채로 정신병원에 갇히게 되니. 그를 아직도 사랑하는 새라는 그를 찾아와 눈물을 흘리지만 이 모든 것을 되돌릴 방법은 전혀 없는 듯하다.

　　지금까지 렘브란트와 (그림 속) 톰의 사례를 통해 "잘 나가던 인생 훅~ 가는 거 한 순간!"이라는 교훈을 알아봤는데, 이들뿐 아니라 앞서 소개한 부티가 팍팍 풍기는 그래험 가문의 자식들이나 궁전 같은 집에서 술래잡기를 하며 놀던 어여쁜 아이들 역시 어른이 된 후 자기 관리에 실패해 낭비벽 혹은 도박, 마약, 술, 주색잡기와 같은 나쁜 버릇에 빠지게 되면 금수저가 아니라 다이아수저라도 단번에 무수저로 전락하는 것이 인생이다. 아니, 저렇게 아득한 옛날, 그것도 멀고 먼 유럽의 명화를 들여다 볼 필요

도 없이 당장 우리나라에도 큰 부자 삼대 못 간다는 속담이 있지 않은가. 또한 어느 남성 연기자는 1990년대에 부모에게서 200억원 (지금 화폐 가치로는 거의 1천억 대)에 이르는 거액을 상속받았지만 대저택과 외제차를 사재끼고 매일 밤 초호화 파티를 여는 등 방탕한 생활에 빠져 채 3년이 못돼 빈털터리가 되었고 말이다. 이러한 사례들은 우리 주변에 너무 많아 일일이 예를 들자면 끝이 없으니 딱 두 가지 사례만 더 소개하고 마치련다. 생명과학 부문에서 전세계를 통틀어 독보적인 기술 수준을 자랑하던 한 일본 회사는 (창업자의 후손인) 회장이 사업에는 전혀 신경 쓰지 않고 공룡 뼈 및 고대 화석 등을 고가에 사들이는 '뻘짓'만 남발하다 경쟁력을 상실, 결국 2011년에 경쟁사에게 매각되고 말았다. 또한 국내 기업 중에도 회장이 스포츠에 푹~ 빠져 골치 아픈 사업 운영은 전문경영인들에게 죄다 맡겨버려 회사 자체의 생존이 어려워진 경우도 있으니. 국내 시장의 성장은 정체되고 글로벌 경쟁체제가 가속화 되고 있는 마당에 죽기살기로 사업을 챙겨도 살아남을까 말까 할 텐데 회장이라는 작자가 곳간은 탐욕스런 집사한테 맡겨 놓고 딴 짓거리나 하고 다니니 사업이 제대로 굴러 갈 리가? 이들은 주색잡기나 도박 등 '7대 중죄'를 저지른 것은 아니지만 자신이 마땅히 해야 될 일을 방기한 채 영양가 없는 짓에 빠져 들어 비참한 최후를 맞이했거나 혹은 종말을 향해 열심히 나아가고 있다. 바로 이 순간, 조금 오래된 곡이지만 가수 김수철의 노래 제목이 생각난다. "정신 차려, 이 친구야!"

자, 그럼 이제 이들과는 대조적으로 자신의 일에 충실함은 물론 근검 절약을 실천하는 인물을 담은 그림 두 점을 살펴보도록 하자. 제일 먼저 'Quentin Massys(퀜틴 마시스)'의 1514년 작 'The Money Changer and His Wife(환전상과 아내)'. 환전상(換錢商)인 남편이 저울의 접시에 동전을 조심스럽게 올려 놓으며 양쪽 접시의 균형을 맞추려고 애쓰는 가운데 그 옆의 아내는 성모자(聖母子, 성모 마리아와 어린 예수 그리스도)가 그려진 기도서를 읽다가 남편이 하는 일을 물끄러미 바라보고 있다. 환전상이라면 반드시 지켜야 할 직업 윤리인 (동전의 무게를 속이지 않는) 투명함과 정직함에 충실하기 위해 남편은 안간힘을 쓰고 있고 아내는 성스러운 기도서를 읽으며 자칫 돈을 가까이 함으로써 생길 수도 있는 사악한 욕망을 경계하고 있으니. 또한 그림 속의 유리병, 유리구슬, 그리고 유리잔은 그들의 양심을 비추는 거울 역할을 하며 앞으로도 이 부부가 방탕하지 않고 근면 검소하게 살 것을 당부하고 있는 듯하다 (참고로, 이 작품의 주인공이 '환전상'이 아닌 '고리대금업자'이며 사치품과 돈에 눈이 먼 신흥 졸부를 꼬집는 내용이라는 해석이 있기도 하다).

그 다음은 전세계에서 가장 유명한 그림 중 하나로 소설 및 영화로도 만들어졌던 'Girl with a Pearl Earring(진주귀걸이를 한 소녀)'을 그린 'Johannes Vermeer(요하네스 페르메이르)'의 또 다른 작품 'The Milkmaid(우유 따르는 하녀)'. 그림 속 여인은 부엌 일을 포함한 집안 일을 돌보기 위해 고용된 하녀(Maid)로 병에 담겨 있는 우유를 그릇에 따르고 있으며, 그녀의 올곧은 자세와 진지한 표정에서 자신의 일에 열중하고 있는 사람에게서만 느낄 수 있는 엄숙함과 위엄을 읽을 수 있으니. 또한 단 한 방울의 우유도 흘리지 않겠다는 듯 꽉 다문 입술에서 그녀의 철저한 절약 정신마저 엿볼 수 있다. 음, 그런데 그녀는 그림의 제목처럼 단순히 우유를 옮겨 담고 있는 것일까? 절대 그렇지 않다! 그녀는 지금 'Bread Pudding(브레드 푸딩)'을 만들고 있는 것! 자세히 보시면 아시겠지만 테이블 위에 놓인 빵은 갓 구워낸 것이 아니라 만든 지 이미 한참이 지나 푸석푸석해진 상태이며, 그냥은 먹기 힘든 이 오래된 빵을 당시에는 우유와 섞어 맛있는 브레드 푸딩을 만들었디고 힌다. 따라시 (그림 속) 그녀는 자칫 음식물

쓰레기가 되어 고약한 약취를 풍기며 썩어버릴 수도 있었던 대상을 재활용해 음식을 만들고 있는 중이다. 아, 이얼마나 자신의 일에 충실하면서도 자원 절약에 앞장서는, 검소하고도 위대한 여인의 초상이런가! 진정 그녀는 쓰레기 더미에 버려진 자전거에서 안장과 핸들을 떼어내 '황소머리(Bull's Head)'라는 훌륭한 예술품을 만들어낸 피카소만큼이나 대단한 예술가라고도 할 수 있지 않을까 (피카소의 이 작품은 1990년대 초반에 300억대에 거래되었으므로 현재는 거의 1천억 대 수준에 육박한다!). 이제는 독자 여러분들께서도 필자가 왜 한 때 빵집 간판으로 사용되었던 이 그림을 이 대목에서 소개했는지 똑똑히 아셨을 것이다.

반박하고 싶으면 하라, 그러나...

자유-평등-박애를 앞세운 1789년 프랑스 혁명 직후의 유럽에서 'Ancien Regime(앙시앙레짐, 혁명 이전의 타도 대상이 되었던 구 체제)'을 옹호하며 혁명 이전의 왕정 체제로의 복귀를 시도한 '빈 체제(Vienna system)'가 성립되었던 것과 마찬가지로 바로 이 시점에서 필자의 의견에 이렇게 반박하고 싶은 독자들도 분명 계실 것이다. *이보슈, 어차피 한번 사는 인생, 짧고 굵게 멋들어지게 사는 거지, 절제는 뭐고 근검 절약은 또 뭐요, 그리고 요즘엔 'YOLO (You live only once, 인생은 오직 한 번뿐)'라고 해서 모두들 인생 제대로 즐기며 산다고 난리법석인데 당신은 뭘 그리 궁상맞은 얘기나 하고 있소,* 라면서 말이다. 이에 더해 *지구 상에 제대로 피지도 못하고 지는 꽃이 얼마나 많은데, 그래도 렘브란트나 톰은 아주 잠시뿐이라도 잘 나가는 때가 있지 않았소,* 라고 덧붙이면서.

물론 그러한 주장 혹은 인생관도 전혀 일리가 없다고 할 수는 없을 것이다. 어차피 누구에게나 인생은 단 한

번뿐이 아니던가. 비록 모 종교에서 말하는 윤회설에 따르면 모든 인간은 현생에 남긴 업보에 따라서 다시 태어난다고도 하지만...흠, 글쎄? 그 때의 '내'가 지금의 '나'라는 보장도 없을뿐더러 다시 태어난 또 다른 '내'가 지금의 '나'를 전혀 기억하지 못할 수도 있는데? 그리고 억만장자이면서도 수억 달러를 땅에 묻어만 놓고 몇 십 년 동안 단 한 푼도 쓰지 않고 살다가 돈을 노린 악당에 의해 살해된 불쌍하기 짝이 없는 부자도 있으며, 게다가 20세기 초 미국 여성 중 최고의 부자였건만 병원 치료비가 아깝다고 아들의 상처를 방치해 다리를 절단하게 만들고, 재산세 내기 싫어서 평생 싸구려 호텔만 전전했으며, 세탁비를 아끼려고 평생 검은 색 옷만 입고 살았다는 구두쇠 중에서도 최고 변태(?) 구두쇠에 대한 얘기는 단순한 궁상맞음을 넘어 소름마저 돋게 하니. 아마도 지금의 인생을 실컷 즐기면서 살고자 하는 'YOLO족'들은 "그렇게 살아서 뭐해?!"라며 비명을 지르는 동시에 단테가 쓴 '신곡'에 등장하는 '제4지옥'에서는 낭비가 심한 자들과 탐욕스러운 자들이 사이 좋게(?) 영원히 돌을 굴리는 형벌을 나눠 받는다면서 어차피 지옥에서 형벌을 받게 될 운명이라면 아예 펑펑 쓰고 죽겠다고 할 것 같다.

음, 하지만 필자의 생각에 탐욕에 쩔고 쩔어 돈을 위해 돈을 모으는 자린고비는 일반적이라기보다는 쉽게 찾아보기 어려운 아주 극단적인 사례라고 할 수 있으며, 지금까지도 회자되는 그들과 관련된 에피소드들 역시 처음엔 별 것도 아니었던 내용이 점점 더 가십(Gossip)용으로 훨씬 자극적으로 변해 갔을 가능성도 존재한다. 또한 비록 저들의 이야기가 어느 정도까지는 진담이라 할 지라도 살아도 산 것이 아닌 저런 구두쇠들보다는 자기 관리와 자신의 삶에 충실하며 조금은 즐길 줄 알면서도 검소하고 행복하게 사는 부자가 현실에는 훨씬 더 많지 않을까?

한편 명품과 클럽에 빠져 산다는 한 청년은 언론과의 인터뷰에서 "열심히 일하기 위해서 저축하지 않고 번 돈을 다 써 버린다"라는 명언 아닌 명언(?)을 남기기도 했지만, 흠, 필자가 만일 그를 만날 수 있다면 다음과 같은 질문 하나를 던지고 싶다 대체 언제까지 돈을 벌 수 있고 평생 얼마나 많은 돈을 벌 수 있을 거라고 생각하냐고. 아울러 단지 열심히 일한다고 해서 명품과 클럽에 쏟아 부을 수 있을 만큼 많은 돈을 벌 수 있을 거라고 생각하는지? 가족이나 자신이 갑자기 아프기라도 한다면? 어쩌면 명품으로 자신을 치장하거나 클럽에서 신나게 즐기는 것이 삶에 대한 새로운 활력소를 얻을 수 있음과 동시에 자신에 대한 투자도 될 수 있겠지만, 바늘 도둑이 소 도둑 된다고, 그러한 '플렉스 소비'가 궁극적으로 향하는 건 어디일지 한 번이라도 고민해 보셨는가? 혹시라도 명품과 클럽으로 점철된 생활의 끝이 초췌함을 넘어 비참하기까지 했던 렘브란트 식의 최후가 아닐까, 뭐 이런 종류의 염려는 전혀 없으신가 말이다. 뭐, 어쨌든 좋다. 자기가 번 돈을 남한테 피해 안주면서 자기를 위해 죄다 쓴다는데 뭐라 하는 것이 오히려 쓸데없는 간섭질 일 수도 있고. 하지만 필자가 그들에게 딱(!) 한 마디 당부하고 싶은 것은, 단 한 순간의 즐거움을 위한 소비는 최소화하고 상식적이고도 계획적이면서 개념 있는 소비를 하는 것이 후대의 인생에 더 도움이 될 수도 있다는 것. 예를 들어, 월급의

30%는 받자마자 저금을 한다든지, 배달 음식은 1주일에 1회 정도로 제한하고 명품은 내 생일에 하나만 지른다든지, 여행은 여름과 가을에 한 번씩만, 뭐 이런 생활 태도를 습관화하라고 말이다. 결론 : 지옥에 갈 정도로 궁상맞으면서도 찌질하게 베풀지 않고 살거나 혹은 패가망신할 만큼 방탕하게 살지 말고, 개념과 원칙과 계획이 있는 소비를 통해 행복한 삶을 누리도록 노력할 것.

우리 조상님들 말씀 중에 "사람 번지는 것은 모른다"는 속담이 있는데, 이 말은 세월의 흐름에 따라 사람은 몰라보게 성장할 수도 혹은 크게 잘못 될 수도 있기에 그것을 미리 헤아려 알기는 어렵다는 뜻이라고 한다. 이 격언처럼 자기 관리에 충실하며 검소한 사람은 한 해 한 해가 다르게 재산이 기하급수적으로 늘어 날 수도 있지만 아무리 잘나가도 방탕한 자는 모든 것을 탕진한 채 폐인이 돼버릴 수도 있는 것이 인간의 삶이다. 자, 이제 'Théodore Géricault(테오도르 제리코)'가 1822년에 그린

'The Woman with Gambling Mania(도박 중독에 빠진 여인)'를 타산지석(他山之石)으로 삼아 그녀의 초점 없는 눈빛과 밤새워 도박을 하는 바람에 멍해진 모습이 자신의 것이 되지 않도록 경계하여 멀리하면서 사치와 낭비 역시 피해갈 지어다. (본래 유혹은 이기는 것이 아니라 피하는 것이 정석이다.)

그대, 이제 돌아온 방탕아가 되어 현실을 인정하고 반성

한 후 새롭게 다시 태어나라!

위 작품의 제목은 렘브란트의 'The Return of the Prodigal Son(돌아온 방탕아)'으로, 이 그림은 부모로부터 물려 받은 재산 전부를 방탕한 생활로 탕진한 후 집으로 돌아온 거죽도 두꺼운(?) 방탕아를 아버지가 뜨겁게 안아 주고 있는 장면을 묘사하고 있다. 필자가 대체 왜 이 부분에서 여러분에게 이 그림을 소개하는 지 한 번 상상해 보

시라. 그 이유는 바로 지금까지 세상은 더럽고 인생은 서러운 것이라고 불평불만을 일삼으며 일도 하는 둥 마는 둥 돈도 버는 둥 마는 둥, 그리고 투자는커녕 낭비만 일삼던 방탕아의 모습을 지금이라도 버리고 새로운 삶을 살겠다는 결심과 (그에 맞는) 실천을 하라는 조언을 건네기 위함! 그렇다면 새로운 출발을 위해 우리가 가장 먼저 해야할 일은 무엇일까? 그건 두 말 할 것도 없이 지금까지의 삶이 잘못되었다고 인정하고 반성하는 것! 실제로는 지지리도 공부를 못하면서 스스로는 공부를 잘한다고 생각하거나, 실무 능력이 쥐뿔도 없으면서 자신의 능력이 출중하다고 믿는 자들의 공통점은 무엇일까? 그것은 바로 앞으로 발전 가능성이 전혀 없다는 것이다. 다시 한번 말하건대, 아무리 하고 싶지 않더라도 자기 자신과 자신을 둘러싼 냉혹한 현실을 반드시 인정해야만 아주 조금이라도 앞으로 나아갈 기반이 생긴다. 그래서 어쩌라고? 지금이라도 반드시 지나간 삶을 반성하고 다시 돌아온 방탕아가 되어 새 삶을 시작하라고!

19세기 말엽 유럽의 미술계에는 '빈 분리파(Vienna

Secession)'라는 새로운 미술사조가 등장하였는데, 인상주의(Impressionism)과 아르 누보(Art Nouveau, 새로운 예술)의 영향을 받은 이 분리파 화가들은 기존의 아카데미즘(Academism, 전통과 권위를 중시하는 사조)이나 국가 기관 주도의 보수주의 성향의 예술에 불만을 품고 기존 예술로부터 자신들의 그것을 분리한다는 의미에서 자신들을 '분리파'라고 불렀다고 한다. 근데 왜 갑자기 뜬금없이 미술사조 타령이냐고? 이들이 지금으로부터 약 130년 전에 기존 예술과 그들의 예술을 딱(!) 잘라 분리하려 했던 것처럼, 여러분들도 예전의 자신과 미래의 모습을 완전히 분리해서 새 사람이 되라는 메시지를 전달하려고! 그러니 반드시 기억하고 실천하시라. 칼로 무 베듯 과거 시제의 나와 미래 시제의 나를 분리해야 한다는 것을.

앞에서도 몇 번 언급했었던 '단테'는 자신의 작품인 '신곡' 서두에 이렇게 썼다.

Nel mezzo del cammin di nostra vita mi ritrovai per una selva oscura che la diritta via era smarrita (인생 길 한

가운데서 나는 어두운 숲 속에 있는 나 자신을 발견했다. 그것은 내가 올바른 길을 잃었기 때문이었다).

Ahi quanto a dir qual era è cosa dura esta selva selvaggia e aspra e forte che nel pensier rinova la paura! (아, 얼마 나 말하기 어려운지, 거칠고 가혹한 그 숲, 생각만 해도 두려움이 되살아난다)

르네상스 시대를 살았던 그와 마찬가지로 현대를 사는 우리 또한 지금까지는 고된 인생의 여정에서 가야 할 길을 잃고 어두운 숲 속에서 방황했는지도 모르지만 이제는 자신의 잘못된 모습을 인정하고 반성하면서 새로운 길을 가려 한다. 진정한 부(富)를 향해 나아가는 도중에 혹시라도 예전의 세상과 인생에 대한 비관과 절망, 방탕과 무절제 등에 대한 기억들이 간간히 머리 속에 떠올라 우리를 두려움에 떨게 할 수도 있을 것이다. 하지만 그 때마다 우리는 이미 완전히 남이 되어버린 예전의 우리에게 이렇게 얘기하면서 우리의 길을 가야 할 것이다. "Segui il tuo corso, e lascia dir le genti (Go on your way, and let the people talk, 남이 뭐라 하든 자신의 길을 가라, 단테의 '신곡' 중에서 발췌)".

　이 장 바로 다음 시작될 본론에서 필자는 본격적으로 르네상스를 비롯한 각 시대에 그려진 명화들을 통해 부자가 되기 위한 구체적인 방법을 제시 할 것인 바, 그 전에 아래의 'Caspar David Friedrich(카스파 프리드리히)'가 그린 'Wanderer above the Sea of Fog(안개 바다 위의 방랑자, 1818년)'를 감상하며 자신의 각오를 굳게 다지기 바란다. 이 작품 속의 주인공처럼 조금은 고독할 지라도 거센 바다에 홀로 당당히 맞서면서 내 삶은 내가 결정하겠다는 결심을 다시 한번 굳혀 보시길. 자, 자신만의 독특하면서도 특별한 돈에 대한 시각과 이를 축적할 수 있는 독보적인 방법을 체득하기 위한 길고도 긴 여정, 이제 함께 시작해 보자. Let's go!

제2부. 본론

: 부를 향해 한 발짝 한 발짝

앞으로 나아가자!

제1장. 본원적 축적

본원적 축적(本源的蓄積, Primitive accumulation) : 생산자와 생산수단을 분리시켜 노동자를 대량으로 양산해 내는 동시에 생산자의 손을 떠난 생산수단(토지)을 자본으로 전환시킴으로써 자본주의의 획기적 출발점을 만든 마르크스 경제학에서의 역사적 과정을 말한다.

이번 장은 백과사전에 소개된 '본원적 축적'의 정의로부터 시작해 봤는데, 음, 뭔가 알 듯 말 듯 하면서도 머리에 확~하고 와 닿지는 않는 듯 하다. 좀 쉽게 얘기해서 '본원적 축적'이란 자본금을 마련하거나 직원을 고용하는 등 사업을 하기 위해 필요한 일련의 과정인 것으로 보이고, 좀 더 쉽게는 투자를 하기 위한 종자돈을 모으는 것이라고 이해하면 될 것 같다. 경제학적인 뜻이야 어찌 됐건 간에 이 책에서는 이 용어를 '(지금보다 더 많은 돈을 벌기 위한) 투자 재원을 확보하는 작업'으로 정의하련다.

그렇다면 이러한 투자 재원을 마련하는 데에는 어떤 방법들이 있을까. 아마도 조선시대의 허생처럼 당대 최고의 갑부에게 빌리던지, 부모님에게서 물려받던가, 로또에 당첨되던지, 혹은 스스로 돈을 벌어 저축 혹은 주식 투자를 하는 등의 여러 가지 방법이 있을 것이다. 허나 평범하기 그지없는 우리가 재벌 혹은 은행으로부터 싼 이자로 거금을 빌리거나 조상님들로부터 물려받는 것은 거의 불가능할 것이고 로또에 당첨될 확률 역시 벼락에 맞을 확률보다도 낮을 것이니 이 글에서는 스스로의 힘으로 돈을 벌어 투자금을 마련하는 방안을 주로 다루도록 하겠다. 자, 그럼 지금부터 '근원적 축적'을 위한 뭔가 'Inspiring(영감을 줄 수 있는)' 하면서도 'Sexy(매력적인)' 한 방법들에 대해 하나하나씩 살펴보도록 하자.

첫 번째. Do something(뭐라도 하라)!

아래 그림은 (이 책의) 앞에서도 몇 번 소개한 적이 있는 '히에로니무스 보쉬'를 계승한 'Pieter Bruegel(피테르 브뢰헐, 이하 브뢰헐)'의 작품 'The Land of Cockaigne(게으름뱅이의 천국, 1567년)'으로, 그림 한가운데에는 농민, 군인 (혹은 기사), 학자를 상징하는 세 사람이 널브러지듯 누워 한껏 게으름을 즐기고 있다. 그리고 그들 옆으로는 "어서 잡숴 줍쇼~"라는 듯 등에 칼이 꽂힌 통돼지 바비큐가 뛰어 다니고 구운 거위가 담긴 접시가 놓여 있는 것은 물론 지붕에는 호두파이가 널려있다. 게다가 나무는 팬케이크, 울타리는 소시지로 되어 있고 그림 뒤편으로는 우유가 강처럼 흐르고 있으니. 아, 이 곳은 한마디로 먹을 것이 지천으로 널려 있어 그 누구도 일할 필요가 없는 '게으름뱅이의 천국'이다. 이 그림에 대해 어떤 이는 당시에는 먹을 것이 항상 부족했기에 조금이라도 풍족했으면 하는 소망을 담았다고도 하고, 어떤 이는 작품의 배경인 플랑드르 지방이 이 그림이 그려진 때에 한창 번영하고 있었기에 그 때의 풍족한 상황을 묘사한 것이라는 정반대의 해석을 내놓기도 했으며, 또 다른 이는 브뢰헐이 게으르고 식탐 많은 자들에게 세상 어디에도 이런 천국은 없으니 열심히 일하라는 경고 및 교훈을 전달하기 위해 이 그림을 그렸다고 주장하기도 한다. 그림에 대한 해석이야 어찌 됐건 간에 우리가 사는 그림 밖의 현실은 어떠한가. 음식, 옷, 집은 물론 돈과 에너지 모두 유한한 대다가 그마저도 매일같이 하루 종일 뼈 빠지게 노동을 해야만 겨우 얻을 수 있는 수준이다. 우리도 저 나라에 사는 사람들과 마찬가지로 온종일 마음 내키는 대로 게으름을 실컷 즐기면서도 맛있는 음식을 먹고 싶고 좋은 옷과 큰 집도 갖고 싶건만 그것은 현실에서는 절대 불가능하다.

그러기에 조금이라도 풍족하게 살기 위해서, 아니 그냥 그냥 밥이라도 제대로 먹고 살려면 열심히 뭐라도 해야 하는 곳이 바로 이 세상이 되겠다. 동화 '거울 나라의 앨리스'에는 앨리스가 '붉은 여왕(Red Queen)'과 함께 나무 아래에서 계속 뛰어다니는 장면이 나오는데, 숨을 헐떡이며 뛰던 앨리스가 붉은 여왕에게 "왜 계속 뛰어도 나무에서 벗어나지를 못하죠? 제가 살던 곳에서는 이렇게 달리면 벌써 멀리 갔을 텐데?"하고 묻자 붉은 여왕은 "여기서는 이렇게 힘껏 뛰어봐야 항상 제자리야. 나무에서 벗어나려면 지금보다 두 배는 더 빨리 뛰어야 돼"라고 대답한다. 이렇듯 내가 뛸 동안 세상 또한 노는 게 아니라 나와 같은 속도로 뛰고 있기에 지금의 형편이나마 계속 유지하기 위해서는 (지금과 같은 속도로) 계속 뛰어야 하고, 현재보다 더 잘 먹고 잘 살기 위해선 최소한 두 배는 더 빨리 뛰어야 하는 것이 세상 이치라는 것!

열심히 베끼기라도 해라!

위의 그림은 불행한 삶을 살았지만 사후에는 색채의 마술사로 추앙 받고 있는 'Vincent van Gogh(빈센트 반 고호, 이하 고호)'가 그린 'The Sower(씨 뿌리는 사람)'라는 작품이다. 이 그림은 해를 등지고서 열심히 씨를 뿌리는 농부의 모습을 담고 있는데, 그는 마치 "한 알의 밀알이 땅에 떨어져 죽지 않으면 한 알은 그대로 있지만 그것이 죽으면 많은 열매를 맺는다"라는 말씀을 몸소 실천하려는 듯 역동적인 몸짓으로 씨를 뿌리고 있다. 저 농부와 같이 우리도 인생의 추수기에 많은 곡식을 거두기 위해서는 매일 매일 열심히 씨를 뿌려야 할 것임은 자명한 사실! 한편 이 그림에는 한 가지 비밀이 숨어있는데, 이 작품은 고흐가 제일 처음 그린 것이 아닌 '만종'으로 유명한 'Jean-François Millet(장 프랑수와 밀레, 이하 밀레)'가 그린 것을 고흐가 따라 그렸다는 것. 그는 27세의 늦은 나이에 본격적으로 미술을 시작했기에 자신의 모자란 실력을 향상시키기 위해서 항상 당대 유명 화가들의 작품을 열심히 모사(模寫)했다고 한다. 그렇다면 한 번 생각해 보시라. 만일 그가 밀레와 같이 위대한 화가가 되겠다는 목표만 가슴에 품고 있을 뿐 자신의 실력이 모자란다고 해서 혹은 제대로 된 영감이 떠오르지 않는다는 이유로 그림 그리기를 게을리 했다면 원작만큼이나 유명한 '씨 뿌리는 사람'이라는 작품이 탄생했을까? 골프 황제인 'Tiger Woods(타이거 우즈)' 역시 수많은 선배 골퍼들의 스윙을 분석하고 따라 하는 등 그들의 기술을 모방하는 것부터 시작해서 각고의 노력을 통해 자신만의 고유한 멋진 폼을 찾아내지 않았던가. 그래서 어쩌라고? 그래서 시간을 헛되이 보내지 말고 남이 하는 것도 열심히 들여다 보고 흉내도 내보면서 실력 양성에 부지런히 매진하라고!

음, 하지만 이게 말이 쉽지 실제로 행동에 옮기기는 정말로 쉽지 않다. 그리고 우리 나약한 인간들은 언제나 주위 상황을 탓하며 게으른 자신을 위한 변명을 입에 붙이고 살지 않던가. 이를테면 "아, 그 때 본격적으로 투자를 해보려고 했는데 갑자기 금전 상황이 안 좋아져서..."라던지 혹은 "떼돈을 벌 찰나에 아무도 예상하지 못한 코로나/글로벌 금융위기/우크라이나 전쟁 등등이 터지는 바람에..."라고 말이다. 그래서 (필자를 포함한) 이런 분들을 위해 다음 작품을 소개해 본다.

변명은 비겁자의 것! 변명은 멀리, 실천은 가까이!

아래 보시는 그림은 서양 미술사를 통틀어 가장 먼저 번개를 그렸다는 'Giorgione da Castelfranco(조르조네 다 카스텔프랑코)'의 'the Tempest(폭풍우)'라는 작품으로, 그림 속 하늘은 아직 어두워지지 않았고 구름에 초록과 파란 빛이 감돌지만 저 멀리 도시를 뒤덮은 먹구름 사이로 번개가 치고 있다. (그림 오른쪽의 아기 엄마와 아기, 그리고 왼쪽의 지팡이를 든 남자의 그림 속 의미가 미술사 최고의 수수께끼 중 하나라지만 일단 작품에 대한 상세한 해석은 추후로 미뤄두고) 이 그림과 같이 세상 혹은 인생은 겉으로는 평화롭게 보일지라도 갑자기 폭풍우가 밀려 드는 것이 현실이다. 하루가 멀다 하고 터지는 강력 범죄, 전쟁, 테러, 가뭄, 홍수, 산불, 이상 기온 등등, (이 책의 앞 부분에서도 언급했지만) 인간 세상은 얼마나 혼란스럽고 어지러운가. 그리고 그 안의 인간군상들은 실로 태풍 앞의 등불과 같은 신세가 아니던가 말이다.

한 때 정신 건강 전문가들은 우리에게 스트레스를 덜 받거나 없애기 위한 방법을 제시했지만 최근엔 오히려 스트레스와 함께 살아가는 방법을 조언하곤 하는데, 이는 현대인의 생활에서 스트레스를 없애는 것이 애초에 불가능하기에 좀 더 합리적으로 스트레스와 함께 살아가는 방법을 찾아서 실천하라는 것이다. 또한 세상 혹은 개인의 위기 또한 언제 어디서 발생할 지 예측도 불가능한 대다가 우리의 의지대로 깨끗이 제거할 수도 없기에 이를 '정상 상태'로 받아들이고 차분하고도 현명하게 대응하라는 것. 마지막으로 아무리 큰 위기가 닥치더라도 자신의 목표 혹은 계획을 완전히 접거나 그냥 포기하지 말고 위기 속에서도 틈틈이 틈새를 찾아 자아실현을 위한 노력을 지속해야 할 것이다.

위기가 곧 찬스요, 기회다!

1517년 'Martin Luther(마르틴 루터)'가 시작한 종교 개혁은 기존 가톨릭에 대한 개혁에 더해 우상 숭배를 금지한다는 이유로 교회 벽화와 제단을 파괴했으며, 그 결과 화가들은 앞으로 교회나 왕실 등 주요 고객들의 주문이 완전히 끊어져 거리에 나앉게 될 것이라며 크게 낙심했다고 한다. 그러나 종교 미술 파괴가 가장 극심했던 대표적인 프로테스탄트 국가인 네덜란드에서는 오히려 17세기에 '회화 열풍'이 거세게 불면서 근대 시민 회화가 활짝 꽃을 피웠으니. 이는 전적으로 예전의 교회나 왕실 혹은 귀족 등 부와 권력을 손에 쥔 후원자의 선(先) 주문에 전적으로 의존하던 회화 생산 시스템이 당시 세계 최고의 무역 강국이던 네덜란드의 경제 발전과 소득 증가에 따라 일반 시민을 중심으로 한 '선(先)생산 후(後)판매' 시스템으로 바뀌었기 때문이었다. 그로 인해 미술품의 주요 소비층이 성직자-왕-귀족 등 교회와 정치권력에서 '일반 시민'으로 바뀌었으며, 그림 소재도 성경이나 신화 속 이야기에서 '일상적인 사람들의 평범한 생활상'으로 변경 되었고 말이다. 즉, 종교개혁이 촉발시켰던 미술계의 위기가 오히려 세계 미술사의 패러다임을 혁명적으로 바뀌 놓는 결과를 기져왔다는 깃.

아울러 20세기 미술계의 최고 거장인 피카소가 일평생 끊임없이 파격적인 미술 기법을 탐구하고 창조한 이유 역시 사진의 등장으로 화가의 밥줄이 끊어질지도 모른다는 위기의식의 발로였다는 사실도 위기가 기회라는 진부한 경구가 아직도 이 세상에서 유효한 성공 법칙임을 우리에게 다시 한번 일깨워 준다. 그러니 이제 쓸데없는 핑계는 그만두고 지금 당장 뭐라도 하라. 지나간 시대에 대해 후회는 이제 그만하고 말이다. 구체적으로 뭘 하면 좋겠냐고? 그에 대한 사항은 이 책의 뒷부분과 속편에서 차츰 제시할 예정이니 계속해서 열심히 읽으시길. ^^.

두 번째. 첫 걸음을 두려워하지 말라!

모든 일에 있어서 첫 날은 항상 두렵고 떨리는 법이다. 유치원에 처음 가던 날, 초등학교에 입학하던 날, 중고등학교 다닐 적 새 학년이 되어 낯선 친구들과 처음 조우한 날, 난생 처음 자신이 성인(成人)이 되어가고 있음을 확인한 날, 대학 오리엔테이션 첫 날, 군대에 입대하던 날, 회사에 첫 출근하던 날, (부모라면) 아기를 어린이 집에 처음 보내던 날 등등. 이렇듯 삶에 있어 주요한 이정표가 되는 날이 꼭 아니더라도 우리에게 매주 스믈스믈 다가오는 월요일만 해도 그렇다. 필자는 20여 년 간 배움을 위해 학교에 다녔고 장장 25년이 조금 넘게 돈을 벌기 위한 직장 생활을 했는데, 실질적인 한 주의 시작인 월요일 새벽에는 보통 세네 번씩 잠에서 깨어나 밑도 끝도 없이 백팔번뇌(百八煩惱)에 빠지곤 했으니. 머리 속에서 바쁘게 지나가는 회의 일정 및 안건, 출근하면 바로 처리 해야 될 산적한 업무들, 얼굴 마주치기도 부담스러운데 하루 종일 붙어서 함께 일해야 하는 상사 및 동료 등에 대한 상념 때문에 좀처럼 잠을 이룰 수 없었다. 어쩌다 잠이 들었다 해도 어김없이 악몽을 꾸었고 말이다. 어디 그 뿐 이런가, "인간 혐오의 시발점은 (서울) 지하철"이라는 극단적인 말이 있을 정도로 콩나물 시루보다 더하면 더했지 절대 덜하지 않은 월요일 아침의 지하철에 대한 혐오 (혹은 공포) 역시 필자의 모든 신경세포를 바싹 곤두서게 했으니.

하지만 어떻게 시간이 지나는 지도 모르게 이렁저렁 월요일 오전을 버텨내고 허겁지겁 점심을 먹은 후 조금 한가한 오후 시간이 될라치면 "에라, 왜 이딴 거 때문에 새벽에 잠도 못 자고 뭘 그리 고민했지? 그냥 맞붙어서 하나씩 해치워 버리면 그만인 것을!"이라는 자각이 들기 시작하며 모든 불안 증세가 멀리멀리 사라져 버리곤 했다. 그러던 와중에 담당 임원께서 추가로 지시하신 여러 업무를 마감 시간에 딱! 맞춰 완벽에 가깝게 수행해내며 "아, 나는 왜 이렇게 일을 잘 하지?"라는 아무런 근거도 없는 '자뻑'에 빠져들기도 했다. 또한 시간이 날 때마다 예전 자신이 작성한 보고서를 감탄사가 섞인 추임새를 곁들여 음미해 보는 것은 덤. 하지만 목요일부터 시작되는 신나는 주말이 쏜살같이 지나가고 일요일 오후가 되면 불안감이 슬슬 고개를 들다가 월요일 새벽이 오면 또다시 최고조에 이르게 된다. 이런 반복적이면서도 고질적인 '월요병'을 해결하기 위해서 모 회사는 일요일과 월요일에 쉬고 화요일부터 한 주를 시작한다고도 하지만, 흠, 이런 방법은 궁극적인 해결책이 되지는 못할 것 같다. 우리가 두려워하는 건 '월요일'이 아니라 '(한 주의) 시작'이기에.

이렇듯 불안에 떠는 우리들을 위해 프랑스 작가 'Laurent Gounelle(로랑 구넬)'을 비롯한 많은 인생 선배들은 다음과 같은 조언을 해주곤 한다.

걸음마를 배우는 아기를 보세요.

아기가 단번에 성공할 거라 믿나요?
다시 서 보고, 그러다 또 쿵~하고 넘어지곤 하지요.
아기는 평균 2천 번을 넘어져야 비로소 걷는 법을 배웁니다.

음, 워낙 유명해 조금 진부하기까지 하지만 시작을 두려워하는 우리들에게 이처럼 좋은 조언은 없을 듯 하다. 아기는 걸음을 내디뎠다가 넘어지고 다시 일어나는 동작을 계속해서 반복하지만 걸음을 잘 걸을 수 있을 때까지 포기하지 않는다. 아기도 첫 걸음을 내디딜 때는 큰 두려움을 느끼겠지만 무려 2천 번에 달하는 반복 훈련을 통해 공포감을 극복하며 진정한 '호모 에렉투스(Homo Erectus, 최초의 직립 보행 인간)'의 후예로 성장해 나가는 것.

밀레가 그린 '첫걸음'과 같이 두려움없이 앞으로 앞으로!

많은 사람들이 'Jean-François Millet(장 프랑수아 밀

레, 이하 밀레)'라고 하면 대부분 'Angelus(만종)'나 'The Gleaners(이삭 줍는 여인들)'와 같은 작품을 머리 속에 떠올리지만 이 'First Steps(첫 걸음)' 역시 절대 빼놓을 수 없는 그의 걸작 중 하나이다. 고된 노동을 끝마치고 집에 돌아온 아빠를 향해 힘차게 걸음마를 내딛는 아기와 이런 아기가 넘어지지 않도록 뒤에서 살며시 잡아주는 엄마, 아마도 이 세 사람의 얼굴에는 환한 미소가 한 가득 피어나고 있으리라. 우리가 이 아름다운 작품을 감상하면서 한 가지 더 주의 깊게 봐야 할 것은 바로 이 그림의 제목인데, 영어 제목에 단수(單數)인 '(First) Step'이 아니라 복수(複數)인 '(First) Steps'가 포함 되어 있다는 것. 물론 아기가 걸음마 연습을 할 때 한 걸음만 걷고 말 것이 아니라 여러 걸음을 걸을 것이기에 'Steps'라고 한 것이라 여기고 그냥 넘어 갈 수도 있겠지만, 단 한번이 아닌 무수히 많은 '첫 걸음들'을 내디뎌야 언젠가는 넘어지지 않고 잘 걸을 수 있기에 복수인 'Steps'를 사용했다고도 볼 수 있을 것이다. 지금은 아기가 넘어지지 않도록 엄마가 뒤에서 잡아주고 있지만 수많은 'First Steps'와 실패를 경험한 아기는 언젠가 온갖 망설임과 두려움을 뒤로 한 채 온전히 자신의 힘만으로 제대로 된 'First Step'을 내디딜 것이다. 그리고 걷는 것에 익숙해지면 그 다음에는 힘차게 뛸 것이고 말이다. 우리 모두 유아기 때 최소한 2천 번씩 넘어졌다가 다시 일어난 적이 있는데 매주 월요일 아침이 뭘 그리 두려우랴. 아울러 어떤 일을 과감히 시작했다가 실패했다 해도 새로운 시도를 하는 것이 뭐 얼마나 두려우랴. 다시 한 번 해보면 되지.

그러나 아직도 필자 주변에는 "뭐든 시작하는 건 두렵지 않은데 시간이 없어서…", "직장 땜에 바빠서…", "가족 돌보느라 너무 지쳐서…" 등등 갖은 핑계를 대며 재테크 혹은 스포츠나 등산 등과 같은 뭔가 가치 있는 일을 차마 시작하지 못하는 사람들이 너무 많다. 하지만 (필자가 앞에서도 언급한 것처럼) 우리 나약한 인간들은 언제나 주위 상황을 탓하며 게으른 자신을 위한 변명을 입에 붙이고 살기에 그리 놀랄만한 일도 아니다. 또한 그들이 의미 있는 일을 시작하지 못하는 주된 이유는 게으름도 게으름이지만 인터넷 동영상이나 예능, 게임이 더 재미있기 때문일 것이고, 이보다 더 큰 이유는 (비록 그들은 시작하는 것이 두렵지 않다고들 하지만) 뭔가를 시작하는 것이 너무 두렵기 때문일 것이고 말이다. 그런 분들을 위해 이 장의 마지막으로 아래와 같이 프랑스 화가인 'Henri Rousseau(앙리 루소, 이하 루소)'의 일생과 그림을 간략히 소개해 본다.

공무원 출신 화가 '루소', 처음 그림을 그릴 때 그는 어떤 기분이었을까?

1844년에 태어난 그는 어려서부터 그림에 뛰어난 소질을 보였지만 가난한 집안 형편 때문에 그림과 관련된 체계적인 교육을 받기는커녕 고등학교를 중퇴하고 법률 사무소에서도 일하고 군악대에서 복무하기도 했으니. 군에서 제대한 그는 생계를 위해 20대 후반부터 50세까지 약 20여 년 간의 긴 세월 동안 세관 공무원으로 일했다. 이렇게만 보면 그는 그냥 '흙수저 출신의 평범한 월급쟁이'에 불과하겠지만 루소는 30대 중반부터 그림을 그리기 시작해 직장 생활로 바쁜 와중에도 쉬지 않고 꾸준히 그림을 그렸다. 회화와 관련된 정규 교육을 단 한번도 받아본 적이 없었던 탓에 다른 화가들의 작품을 모사(模寫)하거나 그림 엽서의 사진을 베끼는 것이 전부였지만 차차 실력을 쌓은 그는 '전문적인 기교는 부족하지만 소박하고 환상적인 모습을 구현'하는 오직 그만의 고유하면서도 독특한 화풍을 구축해 냈으니. 그는 비록 100여 년 전에 세상을 떠났지만 자신만의 규칙성(Routine)과 지치지 않는 끈기를 통해 탄생시킨 그의 그림들은 위의 '뱀을 부리는 여자'를 포함해 현재 한 작품당 최고 500억 원이 넘는 거액에 사고 팔린다.

  그렇다면 그가 직장 생활로 바쁜 와중에도 그림을 그렸을 첫 날을 한 번 머리 속에 떠올려 보시라. 그 또한 우리와 마찬가지로 처음 시작하는 일에 대한 설렘과 두려움이 있었을 것이다. 아울러 내일을 위해 쉬고 싶다는 마음도 있었으리라. 하지만 그는 이 모든 것을 극복해냈고, 결국 우리 모두가 기억하는 위대한 화가의 반열에 올라섰으니. 그 무엇이라도 처음 시작하기에 완벽한 날은 인류가 이 세상에 존재한 이래로 단 하루도 없었다고 해도 과언이 아닐 것이다. 그러니 이런저런 잡생각 다 버리고 조그만 자투리 시간을 이용해서라도 당장 시작하기를 권해드린다.

  어떤 사람은 시간을 유통기한이 있는 요구르트처럼 여긴다. 이들은 지금이 아니면 절대 할 수 없는 일들이 무엇인지를 찾아내 시작에 대한 두려움을 과감히 떨쳐내고 바로 바로 실행한다. '어떻게 죽을 것인가'의 저자이자 의사인 '아툴 가완디'는 "건강한 60세의 망막에 도달하는 빛은 20세 때의 3분의 1에 지나지 않는다는 점과 30세의 뇌는 두개골을 꽉 채우지만 70세가 되면 두개골 안에 약 2.5cm 되는 공간이 생겨 계획과 판단 기능을 담당하는 전두엽과 기억에 관여하는 해마가 뇌에서 가장 먼저 수축된다"고 했다. 모든 것은 다 때가 있는 법, 빈둥빈둥 시간만 보내면 곧 후회할 날이 닥치리라. 아울러 모든 것은 언젠간 끝난다는 진부한 경구처럼 무엇이던 일단 시작만 하면 시작하기 전의 공포, 망설임과 두려움 역시 곧 사라질 것이니 지금 당장 재테크를 위한 준비를 시작하자 (꼭 재테크가 아니더라도 외국어 공부, 독서, 글 쓰기, 아이디어 공모하기, 등등 오늘, 아니 바로 이 시간부터 해보시길).

세번째. (종자돈을 모을 땐) 하나에만 집중하라

이번 장은 바로크의 대가 'Peter Paul Rubens(페테르 파울 루벤스, 1577~ 1640, 이하 루벤스)'의 작품인 'Prometheus bound (쇠사슬에 묶인 프로메테우스)'로 시작해 보겠다. (이 책의 앞에서 설명 한 것처럼) 1517년 'Martin Luther(마르틴 루터)'의 종교개혁 이후 (유럽) 화가들은 교회나 왕실 등 주요 고객들의 그림 주문이 끊어지면서 밥을 굶게 될지도 모른다는 크나큰 걱정을 했지만, 네덜란드를 중심으로 한 대규모 무역 및 (이로 인한) 소득 증가로 일반 시민들이 주요 수요처로 급부상하면서 오히려 회화 붐이 일게 되었다. 그리하여 17세기 네덜란드에서만 무려 600만 점에 달하는 엄청난 양의 회화가 그려졌으니. 위의 그림 역시 한창 그림 열풍이 불어 닥치던 1612년에 완성된 작품이 되겠다.

이렇듯 많은 작품들이 한꺼번에 쏟아져 나오면서 화가들은 그림을 좀 더 비싸게 팔기 위해 자신의 작품을 차별화 할 수 있는 참신하고도 독특한 소재를 발굴해야만 했다. 물론 그림의 '소재'가 아닌 그림 그리는 '기법'을 차별화 할 수도 있었지만 당시는 사진이 등장하기 훨씬 이

전이라 진짜처럼 보이게 그리는 사실적인 묘사가 매우 중요했기에 독자적인 기법은 그다지 관심을 받지 못했다고 한다. 그리하여 과일 또는 꽃을 잘 그리는 화가, 동물 그림에 일가견이 있는 화가 등으로 화가들이 각각의 전문 분야로 특화되었다는 것. 이 중 루벤스는 신화나 성경에 등장하는 인물들의 움직임과 감정을 표현하는 데 천재적인 역량을 발휘하였으며, 자신의 제자들로 구성된 공방(School)을 운영하며 수많은 걸작을 탄생시켰다. 또한 그는 특정 소재에 특화된 화가들과도 자주 협업을 하였는데, 위의 그림에서 프로메테우스의 간을 파먹는 독수리는 당시 동물 그림을 가장 잘 그렸던 'Frans Snyders(프란스 스나이더스)'가 그린 것이라고 한다. 그는 루벤스 말고도 'Anthony van Dyck(안토니 반 다이크)'와 같은 뛰어난 화가들과도 공동 작업을 하며 자신의 재능을 유감없이 발휘하였다고 전해진다.

그렇다면 여기서 우리가 재테크와 관련해서 얻을 수 있는 교훈은 무엇일까. 그것은 바로 한 가지 소재에만 집중해서 최고 전문가의 경지에 오른 화가들처럼 (향후 투자에 사용할) 종자돈을 모을 때 이리저리 변죽 치지 말고 한 가지 금융 상품에 집중하여 꾸준히 모아야 본원적 축적의 기간을 최소화 할 수 있다는 것이다.

최근 한 신문 기사에 따르면 금융자산 10억 원 이상의 부자들은 평균 41세에 부자가 되기 위한 시드머니(Seed money, 종자돈)를 마련했다고 하며, 이를 확보하는 수단으로는 사업 소득(32%) 및 상속 및 증여(25%)가 대부분이었고 그 외에 근로소득, 부동산 투자의 순이었다. 음, 하지만 사업을 하거나 부동산 투자를 하기 위해서는 최소한 억 단위의 돈이 있어야 하고 금수저가 아닌 이상 부모님으로부터 상속 및 증여를 받기는커녕 빚이나 물려받지 않으면 다행이기에 이 또한 어렵다고 하면 우리가 자발적으로 선택할 수 있는 유일한 방법은 직장에서 월급을 받아 돈을 모으는 것이다. 그리고 난생 처음 종자돈을 모으는 가장 좋은 방법은 원금이 보장되는 적금이고 말이다.

간혹 제대로 된 종자돈도 없으면서 얼마 안되는 월

급을 몽땅 주식에 투자하는 사람도 있지만 재테크 전문가들은 이를 별로 권장하지 않는데, 그 이유는 증권 시장은 예측하기 어렵고 원금 보장도 안 되는 데다가 운이 없어 한 번 깡통을 차게 되면 돈을 모을 의지를 완전히 상실할 수도 있기에 그렇다. 그리고 또 다른 널리 알려진 금융 상품 중의 하나인 채권 역시 일정 수준 이상의 종자돈이 확보 되어야 본격적인 투자가 가능함은 물론 투자 초보자들이 채권을 발행한 회사의 정보에 대해 속속들이 알기도 어렵기에 그다지 좋은 투자처는 아니라고 할 수 있다. 따라서 원금 보장에 곁들여 (이자 포함) 5천만 원까지는 예금자 보호법에 따라 안전하게 보호되는 동시에 이자율도 상대적으로 높은 우량 저축은행의 적금 상품이 가장 좋을 듯하다. 그렇다면 이 시점에서 적금을 활용해 종자돈을 마련할 때 반드시 기억해야 할 몇 가지 주요 사항을 간략히 알아보고 넘어가도록 하자.

첫째, "뚜렷한 목표를 갖고 저축하라." 다이어트를 할 때도 막연하게 "살 좀 빼볼까?"라는 전혀 구체적이지 않은 목표로 접근하는 사람보다 "6개월 내로 5kg 빼기"처럼 구체적인 목표를 가진 사람이 성공할 가능성이 매우 높다. 목표가 구체적이면 구체적일수록 실행 전략 역시 상세해질 것이고, 그에 따라 매일매일의 실행력도 높아지기 때문이다.

둘째, "강제성을 갖고 저축하라." 월급을 받거나 생각지 않았던 돈이 생기면 소비하기 전에 무조건 일정 부분을 먼저 저축하고 나서 소비를 시작한다. 실컷 쓰고 나서 나중에 남는 돈으로 저축하겠다고 생각하고 행동하면 자신이 목표로 한 본원적 축적은 이 세상을 떠날 때까지 절대 이루어내지 못할 것이다.

셋째, "남이야 어떻게 살든 내 인생 내가 살아! 절대 남과 비교하지 않겠어!"라는 뚝심을 가져라. 영어에도 'Keep up with the Joneses (이웃사람에게 뒤지지 않는 생활을 하다, 이웃사람들에게 지지 않으려고 허세를 부리다)'라는 표현이 있듯이 인간은 남에게 기죽고 사는 것을 무엇보다도 싫어한다. 그래서 무리를 해서라도 자신의 분에 맞지 않는 생활 스타일을 유지하려고 하는 사람들이 많다. 물론 명품으로 온 몸을 치장하고 외제차를 몰고 다니는 동료 혹은 친구가 부러울 때도 있겠지만 그럴 때마다 자신의 재테크 목표를 재점검하는 한편 "나에게 저 물건이 정말로 필요한가?" 혹은 "확 지르고 나면 나중에 후회하지 않을까?"라는 질문을 최소한 10번 이상 자신에게 한 후에 반드시 사야겠다는 확신이 들 때만 마지막으로 다시 한번 더 생각한 후에 구매하시도록.

지금까지 종자돈을 마련할 때 반드시 기억해야 할 사항을 알아봤는데, 이외에 알고 실행하면 좋을 참고 사항으로는, ①주로 적금에 집중하더라도 저축하는 돈의 아주 일부, 즉 적금액의 약 10% 정도는 우량기업의 주식을 사 모으는 적극적인 투자를 할 필요도 있으며 (여기서 이익을 내면 좋겠지만 최소한 본전치기만 하더라도 투자에 대한 실전 공부라고 생각하면 될 것이고), ② 야구 선수가 안타 혹은 볼넷으로 1루에 진루하더라도 기를 써서 다음 베이스로 진루하려고 시도하는 것처럼 일차로 목표한 종자돈이 모아지더라도 그 다음 목표 수립 및 이를 이루기 위한 노력을 경주할 것, ③일확천금이라는 것은 아예 이 세상에 존재하지 않는다고 생각할 것 등이 되겠다.

그리고 마지막으로 반드시 기억해야 할 것은 재테크는 기나긴 장기전이기에 '번-아웃(Burn-out)'에 빠지지 않기 위해서 매우 조심해야 한다는 것이다. "아이구, 그렇게 돈만 모으면서 살다가 90살 돼서 통장에 100억 있으면 뭐할꺼여?"라는 어느 개그맨의 뼈있는 농담처럼 돈을 쓰지 않고 모으기만 하다 보면 어느새 통장 잔고는 그 어떤 의미도 없는 아라비아 숫자가 되어버리고 가슴 속에서는 "내가 무슨 천년만년 호사를 누리자고 이 짓거리를 하고 있나?"라는 강한 회의감이 들 수도 있다. 이러한 위기를 극복하기 위한 방안으로 필자는 '장그래식 해법'을 제안하고자 한다. 장그래는 여러분들도 잘 아시다시피 웹툰이자 드라마인 '미생'의 주인공으로, 어느 날 자신의 생각보다 **훨씬** 더 훌륭하게 업무를 수행해내자 자기 자신에게 스스로 선물을 준다며 평소에도 먹고 싶었지만 참고 참았던 초밥을 사먹는다. 즉, 아낄 때 아끼고 모을 때 모으더라도 아주 가끔씩은 (대략 한 달에 한 번 정도?) 적금액의 약 10% 정도에 해당하는 금액을 자기가 정말로 하고 싶은 일 혹은 먹고 싶었던 것에 소비하라는 것. 즉, 스위스 화가 'Arnold Böcklin (아놀드 뵈클린)'의 그림 (Play of the Naiads, 즐겁게 노는 인어들)처럼 저 멀리 폭풍우라도 머금은 듯 하늘을 뒤덮은 시커먼 구름이 보이지만 단 한 순간만이라도 괴로움과 권태로움을 잊고 즐거움을 만끽해 보라는 것. 이러한 기분 전환은 번-아웃을 극복하는 데 큰 도움이 됨은 물론 권태로운 생활 속에서도 삶에 큰 활력소가 될 것이다 (하지만 언제나 계획에 따른 균형있는 소비가 필요함을 기억하시길).

네번째. 무조건 끝까지 간다!

이번 장은 필자가 여러분들에게 (주관식) 문제를 하나 내는 것으로 시작해 본다.

문제) 르네상스 시대에 살았던 예술가 중 아래에 설명된 인물은 누구일까요?

힌트) 1452년 법률가와 가난한 집안 출신의 여인 사이에서 혼외자로 출생, 당시 기술 수준으로는 만들기도 어렵고 실용적이지도 않은 무기의 명칭으로 가득 채운 이력서로 공무원 취업에 성공, 고향이나 다름없었던 피렌체에서 실력을 제대로 인정받지 못해 평생 유랑 생활을 함, 작업 속도가 유난히 느려 후원자들로부터 찬밥 신세를 면치 못함, 벌여 놓은 일은 많지만 시작한 것을 좀처럼 끝내지 못하는 나쁜 습관 보유, 살아 생전 직업만 20가지였고 먹고 살기 위해 한때 '세 마리 개구리 깃발'이라는 알쏭달쏭한 이름을 가진 식당을 운영 하기도 함, 어쩌다 완성한 작품마저 검증되지도 않은 자신만의 새로운 기법을 사용했다가 10년도 안돼 훼손됨, 로마 교황청에 가서는 그림 그릴 생각은 안하고 (그림) 보존제 개발에만 몰두하다가 자연스레 보직 해임, 그의 최고의 명작으로 칭송 받는 작품은 제자 (혹은 연인)에게 선물로 주는 바람에 정작 자신은 한 푼도 못 건짐...

정답) 놀라지 마시라. 그는 바로 예체능은 물론 문과와 이과를 넘나드는 총체적인 지식의 집합체이자 최고의 팔방미인으로 추앙 받는 것을 넘어 '인류 역사를 바꿔놓은 창의적인 천재 1위'로 당당히 뽑힌 'Leonardo da Vinci(레오나르도 다빈치, 이하 다빈치)'!

다 빈치의 시작은 창대했으나 끝은 미약하리라(?)

자, 그럼 다빈치의 이력과 관련된 검증을 제대로 한 번 해보도록 하자. 다빈치는 그림 실력을 인정 받아 당시 피렌체에서 가장 유명했던 공방인 'Andrea del Verrocchio(안드레아 델 베로키오) 공방'에 14세 때 들어가지만 (당시 피렌체를 지배하던) 메디치 가문이 로마교황청 벽화 제작을 위해 추천한 예술가 명단에서 제외되는 등 제대로 자리를 잡지 못하자 (단, 그의 실력이 모자라서 제외되었던 것은 아니고 당시에는 범죄였던 동성애 혐의로 고소 당한 것과 시작한 일을 마무리하지 못하는 나쁜 습관 때문이었다고 한다) 서른 살에 그곳을 떠나 밀라노 궁정에 취업을 시도한다. 당시 밀라노와 피렌체 등 현재 이탈리아의 많은 지역에서는 전쟁이 잦았기에 그는 교량과 요새를 파괴하는 기술, 돌멩이를 우박처럼 쏴 올리는 무기 및 장갑차 제조 기술 등 총 10가지 스펙을 이력서에서 강하게 어필해 (미술과 조각 관련된 기술은 이력서의 제일 마지막 부분에 간단히 언급했다고 한다) 밀라노 공무원으로 취업에 성공. 허나 그곳에서 그가 주로 맡은 일은 결혼식이나 만찬장의 실내 디자인이었다고 한다. 그렇게 10여 년이 흐른 후 밀라노 공작으로부터 '최후의 만찬'을 그리라는 중요 임무를 부여 받게 되지만 붓 한번 들지 않고 화면을 뚫어져라 쳐다보며 시간만 보내거나 다른 일을 하다가 기분이 내키면 작업장에 들러 몇 군데 붓질을 하다 다시 돌아가기를 빈복, 위에서 단단히 찍히게 된다. 결국 3년 만에 완성품에 가까운 작품을 내놓긴 하지만...그로부터 채 10년이 안돼 벽에서 물감이 떨어져 칠이 벗겨지면서 작품이 훼손되어 버렸다 (현재의 그림은 후대에 장기간의 보수를 거친 것이다).

그 후 피렌체 시청의 거실 벽면을 장식하는 벽화를 의뢰 받아 밀랍으로 그리는 방법을 시도하지만...이번엔 작업을 진행하는 도중에 작품이 녹아 버려 원상 복구 혹은 배상을 하라는 강력한 요구를 받게 되었고, 다빈치는 도망치듯 그곳을 떠난다. 그리고 나서 로마 교황청에 취업했지만 그림 그릴 생각은 하지도 않고 완성 후 그림에 칠할 니스 개발에만 몰두해 교황님을 멘붕에 빠뜨려 버린다. 결국 그곳에서도 또다시 찍혀버린 그에게 아무런 일거리도 주지 않자 (물론 이에 비례해서 그에 대한 처우도 매우 나빠졌을 것이다) 다시 로마를 떠나 일자리를 찾아서 이탈리아 이곳 저곳을 헤매다 프랑스 왕실의 초대를 받아 프랑스에 머문 서너 해 동안 세기의 명작이자 역시 미완성 작품인 '모나리자'를 그리지만...자신이 아끼던 제자 (혹은 동성 연인이라고도 한다)인 'Andrea Salai

(안드레아 살라이)'에게 선물로 주었고, 그는 이 그림을 프랑스 왕실에 다빈치가 받은 연봉의 3배에 해당하는 거액에 팔아버렸다.

그는 진정한 천재일까, 혹은 그냥 게으른 자일까?

흠, 어찌 보면 이 분은 스펙이 좋아 여기저기 취업은 잘하지만 조직 내에서 제대로 된 성과는 좀처럼 내지 못하는 '빛 좋은 개살구식' 인재로 보이기도 한다. 물론 다빈치는 인류 예술사에 길이길이 남을 명작들을 쏟아 냈기에 그런 흔하디 흔한 일반적인 사람들과는 달라도 한참 다르겠지만 말이다. 위에서 언급한 그의 갖가지 흑역사에도 불구하고 그에 대한 변호를 좀 하자면, 다빈치의 작업 속도가 유난히 느렸던 것은 그의 말마따나 "화가가 아무 일도 하지 않을 때 가장 많은 일을 하는 것"이기 때문이다. 창작을 조금이라도 해보신 분들은 잘 아시겠지만 조급함에서는 절대 창조성이 나오지 않는다. 희대의 천재 과학자인 'Albert Einstein(알버트 아인슈타인)'도 "문제를 풀기 위해

1시간이 주어진다면 나는 55분은 고민하고 5분 동안만 실제로 문제를 풀겠다(If I had an hour to solve a problem I'd spend 55 minutes thinking about the problem and 5 minutes about solutions)"라는 명언을 남기지 않았던가. 또한 아무리 창조적인 작업이라고 해도 몇 시간 동안 계속해서 하다 보면 소위 말하는 '노가다'와 마찬가지로 단순 반복적인 작업이 돼버리면서 작업의 목적을 망각함은 물론 예술적인 영감이 머리 속에서 완전히 사라져버리고 만다. 그러기에 그는 반짝이는 아이디어가 솟아날 때, 그리고 자신이 정말로 하고 싶을 때에만 작업을 했을 것이다. 그리고 비록 작품 (최후의 만찬)을 장기간 보존하는 데에는 실패했지만 유화와 템페라(Temperare, 달걀노른자, 벌꿀, 무화과 즙 등을 용매제로 사용하여 색채 가루인 안료와 섞어 만든 물감)를 합친 새로운 기법을 시도하는 등 끊임없이 창의적인 아이디어를 시험하였으며, 완벽한 작품을 만들기 위해서라면 본격적인 작업이 끝난 후 수 년이 지났더라도 다시 찾아가 작품을 수정하기까지 했으니. 어디 그뿐이런가, 예술을 훌쩍 넘어 행글라이더, 장갑차, 우주선, 악기, 인체 해부도 등 자신이 관심 있는 분야를 기록한 무려 7천장이 넘는 (게다가 다른 사람이 알아보지 못하게 좌우를 바꾸어서 쓴) '다빈치 노트'를 남기기도 한 팔방미인이 아니던가. 다만 그의 재테크 능력은 별로였던지 '동굴 안의 성모'라는 작품은 본래 계약했던 금액의 절반 밖에 받지 못했고, 많은 돈을 주고 팔 수 있었던 자신의 그림 모나리자)은 남한테 선물로 줘버렸으니. 하지만 그가 시대를 훌쩍 넘어선 역사상 위대한 천재 중의 한 명임은 그 누구도 부정하지 못할 것이다. 이런 그에게 존경을 표하는 의미에서 그의 최고 걸작으로 알려진 'Battaglia di Anghiari(앙기아리 전투)'를 감상해 보자.

격렬하게 날뛰는 말들과 그 위에서 창과 칼을 휘두르며 싸우는 병사들의 모습, 어떠신가, 마치 살아 있는 듯 너무나도 생생해 다빈치의 뛰어난 필치가 온몸으로 느껴지지 않는가? 음, 그런데 이것은 사실이 아니다. 왜냐면 이 작품은 다빈치가 그린 것이 아니라 루벤스가 그의 그림을 베낀 모작이기 때문에! 다빈치가 1505년부터 이탈리아 플로렌스의 베키오 궁 벽에 이 그림을 그리기 시작한 것은 맞지만 놀랍게도 60여 년 후 바로 그 위에 'Giorgio Vasari(조르조 바사리)'가 벽화인 'Battaglia di Marciano(마르시아노 전투)'를 그렸기에 다빈치의 그림은 현재 아주 어렴풋한 흔적만 남아 있다고 한다. 그런데 이보다 더더욱 놀라운 사실은 이 작품 역시 미완성이었다는 것! 다빈치는 여러 가지 새로운 색채를 실험하느라 이 그림 역시 완성하지 못했고 1506년 그림이 미완성인 채로 베키오 궁을 떠나버렸다고 한다. 아, 이 분한테 그림 의뢰하셨던 분들, 정말로 뒷목 잡고 쓰러졌을 것 같다...

무조건 끝까지 간다!

　지금까지 다소 길게 다빈치에 대한 그리 알려지지 않은 사실들을 알아봤는데, 그렇다면 그의 인생을 타산지석 삼아 재테크와 관련해 우리가 반드시 기억하고 행동에 옮겨야 할 것은 무엇일까? 그것은 바로 본원적 축적을 위한 저축은 무조건 끝까지 해야 한다는 것! 당장 길거리에 나앉을 정도로 경제 상황이 악화 되지 않는 한 적금 만기까지 꾸준히 돈을 모아야 한다는 것이다. 아울러 중도 해약은 아주 아주 예외적인 상황, 즉 갑작스런 실업을 당하거나 혹은 (가능성은 매우 매우 낮지만) 전혀 예상치 못한 중병에 걸려 많은 돈이 필요한 경우를 제외하고는 머리속에서 말끔히 지워 버리고 말이다. 자신이 수립한 저축 목표를 한 번 깨기 시작하면 (위에서 설명한) 그 누구처럼 언제나 마무리를 제대로 하지 못하는 습관에 빠져 버릴 것이고, 결과적으로는 본원적 축적에 거듭된 실패를 하게 될 것이다.

　필자가 여기서 다시 한번 강조하고 싶은 것은, 우리

는 다빈치처럼 인류 역사에 길이길이 남을 걸작을 남기는 것이 목적이 아닌 향후의 본격적인 투자를 위한 본원적인 축적을 하려는 것이기에 그처럼 완벽주의에 사로잡혀 작품을 계속 미완성 상태에 두거나 혹은 수습하지도 못할 일들을 여기저기 벌여 놓을 필요가 전혀 없다는 것이다. 우리는 이상(理想)을 꿈꾸는 창조적인 예술가가 아니라 현실적이면서도 이해타산적인 투자자 지망생이기에 저축을 한 번 시작하면 절대 중도 해지 없이 만기 시점까지 유지해 반드시 목돈을 손에 쥐어야 할 것이다.

끝으로 완벽주의 혹은 월급이 너무 적어서, 또는 예전에 완성하지 못한 그림 때문에 채권자에게 소환 당해 거의 대부분의 작품을 미완성 상태로 놔두고 세상을 떠난 다빈치에게 애플의 창업자인 'Steve Jobs(스티브 잡스)'가 남긴 명언을 들려주고 싶다.

"창조적인 방식으로 예술가로 살려거든 너무 자주 뒤를 돌아봐서는 안된다. 오히려 당신이 해 놓은 일과 당신이 예전에 어떤 사람이었는지를 기꺼이 받아들이고, 이 것들을 저 멀리 던져 버려야 한다 (If you want to live your life in a creative way, as an artist, you have to not look back too much. You have to be willing to take whatever you've done and whoever you were and throw them away)."

다빈치는 이미 오래 전에 영면에 들었지만 우리는 아직 살아있기에 위의 잡스가 한 말처럼 너무 자주 과거를 돌아보거나 후회하지 말고 미래의 적금 만기 날을 기다리며 오늘도 한번 버텨보자.

다섯 번째. 가식적으로 살아라!

아래 그림은 참으로 기괴하기 짝이 없다. 그림 중앙의 약간 위쪽에 위치한 모자 쓴 남자만 소위 말하는 쌩얼이고 50여 개에 달하는 그림 속 얼굴들은 모두 가면이니 말이다. 이들 대부분은 언뜻 백인으로 보이지만 개중에는 가끔씩 흑인이나 머리에 꽃을 단 신대륙 원주민처럼 보이

는 가면도 있다. 심지어 해골과 고양이 (여우인가?) 가면
도 눈에 띤다. 아울러 전체적인 색상마저 울긋불긋해 그렇
지 않아도 괴이한 그림에 이상야릇함을 더한다. 가면들의
표정 또한 매우 다채로운데, 크게 웃어 젖히는가 하면 혹
은 마치 "나는 너의 모든 것을 다 알고 있거든!"이라고 말
하고 싶은 듯 음흉한 비웃음을 짓고 있는 가면도 있고, 눈
을 부릅뜨거나 살짝 옆 모습을 보이고 있기도 하니. 하지
만 대개는 그저 무표정하거나 집단 멘붕에 빠진 것처럼
멍한 표정을 짓고 있다. 이들 모두는 불안과 혼란, (군중
속의) 고독, 억눌린 공포, 알 수 없는 무력감 등을 잔뜩 짊
어 지고 사는 현대인들을 표현하고 있는 것처럼 보인다.

음, 결론적으로 이 그림은 그렇지 않아도 힘든 우리네 삶에 우울함을 한 무대기로 보태는 것 같아 절대 거실 벽에 붙여 놓고 싶은 그림은 아니다.

위의 그림은 자타가 인정하는 가면과 해골 그림의 1인자 'James Ensor(제임스 앙소르, 이하 앙소르)'가 1899년에 그린 'Ensor with masks(가면에 둘러 쌓인 자화상)'라는 작품이 되겠다. 앙소르는 고향인 벨기에의 'Ostend(오스텐드)'에서 일생의 대부분을 보냈는데, 그는 미술 학교도 중퇴하고 친구나 애인도 없이 가면 그림만 주구장창 그렸다고 한다. 이 화가는 그를 둘러싼 세계를 (그의 고향에서 매년 개최되던 '죽은 쥐 무도회'라는 희한한 이름을 가진) 가장 무도회와 같이 기만, 위선, 우둔, 비겁, 허영이 가득찬 공간으로 인식하였으며, 이러한 냉소적인 생각의 바탕 위에 타고난 인간 혐오와 (자신을 인정하지 않는) 세상에 대한 분노가 결합되며 위의 그림과 같은 괴랄한(?) 작품들을 연달아 발표했으니. 독특할 지는 몰라도 대중의 기호와는 멀어도 한참 먼 그의 음울한 그림들은 당연히 잘 팔리지 않았고 앙소르는 평생 비평가들의 신랄한 혹평에 시달려야만 했다.

음, 하지만 그의 (세상에 대한) 인식과 그림을 단순히 한 사회 부적응자의 구시렁대는 소리로 치부하기에는 아무리 생각해봐도 우리 사회의 모습이 가장 무도회와 너무나도 많이 닮아 있다. 예전 필자의 학창 시절만 돌이켜봐도 성격과 성적 모두 별로인 아이가 선생님들로부터 귀여움을 독차지하기 위해 그분들 앞에서는 동기들을 대할 때와는 전혀 다른 모습을 보여 우리 어린 가슴에 큰 상처를 입히기도 했으며, 어느 회사나 승진과 좋은 보직을 얻기 위해 상사에게 존경하는 척, 열심히 하는 척, 충성하는 척하지만 바로 뒤돌아 서서는 조직 내에서 자기보다 약한 자들을 갈구고 갑질을 해대는 것은 물론 팀장을 밀어내고 자기가 그 자리를 차지하려고 호시탐탐 노리는 직원이 있다 (그리고 대부분 이러한 악인들이 조직에서 높은 지위를 차지한다. 오래가는 것과는 별개로).

비록 우리 한국인들은 이러한 '두 얼굴 전략'에 그리 능숙하지 못해 자신의 감정을 그대로 얼굴에 드러내는 편이지만 가까운 일본만 해도 '다테마에(建前, 겉마음)'와 '혼네(本音, 속마음)'가 하나의 가치관 혹은 국민성으로 거의 굳어져 있으며, 중국에는 '후흑학(厚黑學, 얼굴은 두껍게, 속마음은 시꺼멓게)'이라는 처세술이 있기도 하다. 이는 ① 일단 부끄럽다는 감정을 버리고, ②웃으면서도 가슴 속에는 언제든 상대방을 제거할 수 있는 칼을 품되, ③겉으로는 의리 있으면서도 선량한 사람으로 보이라는 것. 그렇다면 서양 사람들은? (미군에서 약 2년 반 동안 근무했고 영국에서 2년간 유학 생활을 한 것에 더해 직장 생활 중 많은 부분을 미국 및 유럽지역 사업을 했던) 필자의 경험 및 책에서 읽은 바에 따르면 서양인들은 당사자 앞에서는 대놓고 "못한다"고 하지 않고 대부분 "잘한다, 잘한다"하는 칭찬 일색이지만 인종 혹은 언어적인 이유로 (그들과 다른 이들을) 은근슬쩍 따돌릴 때도 많고 친한 '그들'끼리만 모이면 '남들'에 대한 뒷담화가 장난이 아니다. 멀리 다른 나라까지 갈 필요도 없이 우리나라 시골 사람들의 순박함과 따뜻한 정(情) 속에 거센 지역 이기주의와 텃세가 숨어 있고, 도시 사람들의 깔끔한 에티켓과 꼿꼿한 겸손힘 속에

우월감과 젠체함이 도사리고 있지 않던가. 게다가 의학적으로 다소 논란이 있기도 하지만 자신의 몸 안에 무려 24가지의 다른 인격체를 가진 사람도 한 때 존재했었다. 아, 그만해야지 이러다간 끝이 없겠다.

그러나 이러한 인간의 습성을 '표리부동(表裏不同)'하다거나 비굴 혹은 교활하다며 나쁘게만 볼 수도 없는 일이다. 좋든 싫든 간에 어쨌던 옆에 붙어서 함께 살아야 하는 타인과의 관계를 좋게는 유지하지 못해도 최소한 나쁘게는 만들지 않기 위해서, 그리고 자신이 위기에 빠졌을 때 도움을 받지는 못할지언정 상대방이 최소한 내 뒷다리를 잡아채지는 않도록 미리미리 대비책을 마련해 놓는 생존 본능의 발현일 수도 있으니 말이다. 심지어 인간들의 '예의'라는 것도 상대방을 마음 속으로는 전혀 존경하지 않기에 겉으로라도 그런 척을 하는 것이라는 무척이나 '시니컬'한 주장을 하는 문화인류학자도 있지 않은가. 하긴 뭐 내 허리를 15도, 목을 45도나 굽혀서 공손하게 인사를 해야 할 만큼 존경스러운 사람이 주변에 얼마나 있으랴.

이렇듯 양면적인 인간의 속성 (혹은 본능)을 서양인들은 아주 오래 전부터 알아차렸는지 '인간' 혹은 '개인'을 뜻하는 영어 단어 'Person', 그리고 '성격'이라는 의미를 가진 'Personality'의 어원이면서 한국에서도 자주 사용되는 'Persona(페르소나)'라는 단어는 본래 고대 로마의 연극 배우들이 쓰던 가면을 가리키는 말이었다고 한다. 흠, 그렇다면 자신만 아는 (자기 본연의) 성격이 아닌 다른 사람들에게 보여지는 (사회적 인간으로서의) 성격은 모두 가면을 쓴 허위일 수도 있다는 것 아닌가? 만일 자신의 모든 감정을 감춤 없이 만인에게 다 드러내 보인다면 이 사회가 엄청난 혼란에 빠질 수도 있기에 어느 정도까지는 본색을 숨기는 것이 오히려 인류가 계속적으로 생존해 나가는데 큰 도움이 될 것 같기도 하다. 어느 책 제목이기도 한 '시선으로 사람을 죽일 수 있다면'이라는 말이 함축하는 바와 같이 그 누군가가 정말로 죽이고 싶을 만큼 밉다면 그냥 째려만 봐야지 진짜 살인을 저질러서는 절대 안 될 것이다. 자제력과 인내에 더해 가식이 절실히 필요한 시점.

자, 이번에도 서론이 좀 길었는데, 앞 장까지는 '돈을 모으는 방법'이 주제였다면 이 장의 주제는 '돈을 벌기 위한 것'이 되겠다. 결론부터 먼저 말하면, 돈을 많이 벌고 싶다면 가식적으로 살아야 한다는 것이다.

(앞서 언급한 것처럼) 돈을 벌기 위해 사업을 하거나 부동산 투자를 하기 위해서는 거의 대부분의 경우 최소 억 단위의 돈이 필요하기에 여기서는 논외로 하고, 현재 주머니에 든 것이 거의 없는 우리가 본원적 축적을 위한 돈을 벌기 위해서 자발적으로 선택할 수 있는 유일한 방법은 직장을 얻고 그 곳에서 월급을 받는 것이 될 것이다. 그렇다면 회사원, 즉 소위 말하는 월급쟁이로서 평생 소득 기준으로 많은 돈을 벌려면 어떻게 해야 할까. 그에 대한 답은 두 가지다. 연봉은 적을지라도 최대한 오랫동안 회사에 다니거나, 혹은 매우 높은 고연봉을 주는 회사를 짧게 다니거나. (물론 아주 오랫동안 고연봉을 받으면서 회사에 다니면 더더욱 좋겠지만 그건 현실적으로 매우 힘들기에 고려 대상에서 일단 제외.) 그런데 회사에서 단기간에 걸쳐 매우 높은 연봉을 준다면 그건 대게 두 가지 경우일 게다. 우선 당신이 회사로부터 금전적으로 매우 높게 인정

받을 수 있는 희귀한 기술을 가지고 있거나, 또는 불법적인 일이던가. 음, 그런데 우리들 대부분은 이러한 경우에 해당되지 않을 가능성이 매우 높을 것이고, 그렇다면 회사에 다니면서 돈을 많이 벌 수 있는 유일한 방법은 '평범한 회사를 얇고도 길게 다니는 것'이 될 듯하다.

"조직에서 성공하려면 '지(知)'보다는 '충(忠)'이다"라는 말도 있듯이 회사에 오래 몸 담으며 계속해서 월급을 받으려거든 실력도 실력이지만 (직속) 상사, 담당 임원, 그리고 회사 오너(Owner)와 같이 당신의 생사여탈권을 쥐고 흔드는 사람들에게 강한 충성심을 내보여야 한다. 이건 뭐 간단하다. 속된 말로 까라면 까고 죽으라면 죽는 시늉하고 울다가도 웃으라면 웃는 척하는 것. 더럽고 치사해서 못하겠다고? 그렇다면 최소한 밉보이지 않도록 노력해야 하고, 그러한 노력의 밑바탕에는 반드시 가식적인 태도와 행동이 깔려 있어야 한다. 단, 필자의 말을 오해하지 마시라. 여기서 말하는 '가식(假飾)'이란 남을 속이거나 사기를 치라는 것이 아니다. '가식'이 우리 말로는 '거짓 꾸밈'이듯이 자신의 속마음과는 다른 태도를 보이고 행동하라는 것이다.

먼저 업무 측면. 조직에 몸 담고 있다 보면 어디서부터 시작해야 될지 감이 전혀 오지 않는 어려운 일, 누가 해야 될 지 책임 소재가 불분명한 일, 힘들기만 하고 성과는 별로 나지 않는 일, 그리고 피치 못할 야근과 주말 근무가 끊임없이 발생한다. 그런데 문제는 회사를 제대로 돌리기 위해서는 누군가는 반드시 그 일을 해야만 한다는 것. 여기서 당신이 기억해야 할 것은, 그런 일이 발생할 때마다 먼저 하겠다고 나대며 자원하지는 못할 망정 (즉, 조직에 대한 강한 충성심을 내보이지는 못할 망정) 어찌어찌하다 자신에게 그 일이 떨어진다 해도 윗분들 앞에서 대놓고 반발하거나 싫은 티를 팍팍 내지는 말라는 것이다. 특히 그의 한 마디면 팀장은 물론 담당 임원도 바로 짐 싸서 집으로 보내 버릴 수 있는 오너가 시킨 일이라면 더더욱 그렇다. 죽을 만큼 싫어도 좋은 척 (이게 안된다면 최소한 무표정 유지!) 하면서 "힘들 것 같지만 한 번 해보겠다" 혹은 "주말에 급한 개인적인 일이 있긴 하지만 상황이 이러하니 내가 토요일에 출근해서 처리하겠다"와 같이 얘기하고 행동하라는 것. 또한 때때로 윗사람과 의견이 엇갈려 다소 언성이 높아질 때가 있을 수도 있지만 윗분께서 한번도 아니고 두 번, 세 번 자기가 맞다고 우기면 일단 꼬리를 슬며시~ 내리고 나중에 그 분 기분 좋을 때 상황 봐서 슬쩍~ 다시 한번 말씀 드려 볼 것. 여기에 딱 들어맞는 우리말 속담이 있다. "누울 자리 봐가며 발도 뻗어라."

둘째, 태도. 윗분들도 우리와 같은 결점투성이인 인간이기에 재미없는 농담, 어이없는 행동, 재산 혹은 자식 자랑을 할 때가 가끔씩 있을 것이다. 듣기는 좀 거북하다 하더라도 크게 선을 넘지만 않는다면 그냥 재미있는 척, 아무렇지도 않은 척하며 한 귀로 듣고 한 귀로 흘려 보내는 가식적인 태도를 견지할 지어다. 만일 아무리 윗분이라 해도 선을 넘는 말과 행동을 지속적으로 한다면 그건 징계 혹은 처벌 대상이겠지만, 그렇지만 않다면 겉으로라도 재미있는 척 하거나 맞장구 쳐주는 것이 자신의 조직에서의 수명을 연장시키는 데 큰 도움이 될 것이다. 여기에도 딱 들어맞는 우리 속담이 있다. "귀머거리 3년, 벙어리 3년,

장님 3년". 필자는 이 속담을 이렇게 바꾸고 싶다. "입사해서부터 퇴직할 때까지 계속해서 귀머거리/벙어리/장님 코스프레 하기". (최근 정치적 올바름의 확산으로 청각 장애인, 언어 장애인, 시각 장애인과 같은 단어의 사용이 보편적이나 여기서는 아주 옛부터 전해 내려오는 속담을 인용하였으므로 원래의 단어를 그대로 사용하였다.)

필자도 위와 같이 글은 써놓았지만 지난 30여 년간의 사회 생활을 되돌아 보건대 저렇게 행동하는 것이 말처럼 쉽지만은 않았던 것 같다. 필자와 똑같은 어려움을 겪을 (혹은 겪고 있는) 독자 여러분들께 감히 조언을 한마디 드리자면, 저렇게 행동하는 자신을 자기 자신이 아닌 'Persona'라는 가면을 쓴 '호모 에코노미쿠스 (Homo Economicus, 오로지 경제적 합리성에만 기초를 두어 개인주의적으로 행동하는 인간)'라고 여기라는 것이다. 즉, 자신의 본성과 속마음을 속이며 '~한 척'하는 것은 내가 아니라 가면을 쓴 연극 배우라는 것. 그렇다면 어떤 연극일까? 부의 본원적 축적을 이루기 위해 회사에 오래 다니기 위한 연극! 물론 그 누가 아무리 좋은 조언을 하더라도 어떤 식으로든 자신의 몸과 마음에서 마구마구 뛰쳐 나오려고 하는 자기 본연의 모습을 억지로 억누르는 것이 절대 쉽지는 않을 것이다. 허나 최근 세상을 떠난 어느 정치인이 언급한 "참아내기 불가능한 것을 참는 것이 진정한 인내다"라는 명언을 위기 때마다 머리 속에 떠올리며 최대한 버텨보기 바란다. 참는 자에게 복이 있나니, 그들이 부의 본원적 축적을 이룰 것이다!

자 그럼 여기서 다시 '가면에 둘러싸인 자화상'을 그린 화가 '앙소르'의 이야기로 돌아가 보자. 이 그림의 제목에 '자화상'이라는 단어가 포함되어 있기에 기괴한 가면들 속에서 혼자서만 솔직한 척 혹은 고고한 척 하는 쌩얼의 주인공은 마땅히 이 작품의 작가인 앙소르가 되어야 할 것이지만, 그림 속에서 커다란 깃털이 달린 모자를 쓴 사람은 그가 아니라 아래 그림(루벤스와 그의 아내 이사벨라의 자화상)에서 보시는 바와 같이 이 책의 앞에서도 몇 차례 소개한 바 있는 화가의 왕 '루벤스'이다!

　　아니, 그렇다면 평생토록 가면 쓴 사회를 증오하며
이 세상에서 자기만 가면을 쓰지 않은 인간 본연의 모습
을 한 진짜배기 순수남이라고 잘난 척(?)은 혼자서 다해
놓고 자화상이라 이름 붙인 그림에는 가면이나 다름없는
다른 사람의 얼굴을 그려 넣다니! 비록 자기는 남들에게
인정도 못 받고 가난하게 살지만 (현재 시세로) 수백억에
달하는 엄청난 재산을 보유함과 동시에 외교관으로도 맹

활약했던 루벤스처럼 사회적인 성공을 거두고 싶다는 바람을 작품에 녹여 놓은 것일까? 그림의 제목은 '(가면에 둘러 쌓인) 자화상'이건만 실제로는 다른 사람(루벤스)의 가면을 쓰고 있는 화가의 자화상이니 말이다. 흠, 어쩌면 앙소르는 이 그림을 통해 가면을 쓴 표리부동한 사회를 비난하는 화가 자신마저도 어쩔 수 없는 이 세상의 일부이며 속물주의적인 속성을 가진 또 한 명의 인간이라는 것을 표현하고 싶었는지도 모르겠다.

여담이지만 다소 이율배반적으로 느껴지는 그의 이러한 바람대로 20세기 들어 급격한 혁신을 맞이한 (서양) 미술계는 그를 전위 예술의 거장으로 추앙하였고, 앙소르는 미술에 대한 업적을 인정받아 69세 때는 벨기에 남작 지위를, 73세 때는 프랑스 최고 영예인 레종 도뇌르 훈장을 받았다고 한다. 하, 이 얼마나 지독한 역설인가? 일평생 가면 쓴 사회를 증오해 가면만 그렸는데 그 가면 그림 덕분에 이러한 영예를 얻게 되었으니 말이다. 허나 어쩌겠는가, 이 세상과 (앙소르를 포함한) 인간 모두가 모순 덩어리인 것을. 그리하여 돈키호테는 세상이 미쳐

돌아 갈 때 가장 똑바른 정신을 갖고 사는 것이 가장 미친 짓이라고 외치지 않았던가. 어쨌든 일평생 '가면 (그림)'이라는 녹슬지 않는 창을 들고 돈키호테처럼 앞으로만 내달린 앙소르에게 필자는 고개를 깊이 숙여 꾸벅~ 절을 올리고 싶다. 그가 이렇듯 살아 생전 예술적 정열을 활활 불태웠듯이 우리 역시 돈의 본원적 축적을 위해 우리의 정열을 깡그리 불살라보자! 이제 다음 장으로 넘어가 본다.

여섯 번째. 좋은 멘터를 구하고 따라라!

음, 오래간만에 미술 공부를 다시 시작한지라 잘은 모르겠
다만 (위의) 두 그림은 느낌이 상당히 엇비슷하다. 두 작
품 모두 등장 인물이 너무 많아 눈을 어디에 두어야 될지
모르겠고 전체적인 분위기 역시 붐비고 어수선한 게 꼭
시장 바닥 같기도 하고. 게다가 아주 자세히 들여다 보지
않으면 어떤 내용인지 이해하기도 어려운 것도 닮았다. 아
마도 한가지 차이점이라면 첫 번째 그림의 색채는 굉장히
밝은 톤이지만 나중의 것은 전체적으로 매우 차분하다는
것.

앞선 그림의 제목은 'The garden of earthly delight (쾌락의 정원)'로 본래 세 개의 그림이 하나의 세트를 이루는 삼면화(三面畵)인데 이 책에서는 지면 관계상 가운데 그림만 실었다. 이 작품에 대한 설명을 간략하게 덧붙여 보면, (삼면화의) 첫 그림은 신이 인간을 창조하는 창세기를 묘사했고 (즉, 과거), 위에 소개한 둘째 그림은 현세의 인간들이 쾌락과 타락에 빠지는 광경 (현재)을 담았으며, 마지막 세 번째 그림은 방탕에 빠진 인간들이 지옥에서 고통 받는 사후 세계 (미래)를 그렸다고 한다.

다음으로 (위에서 보시는) 두 번째 작품의 이름은 'The Battle between Carnival and Lent (사육제와 사순절의 다툼)'이며, 흥미롭게도 이 그림은 오른쪽과 왼쪽 부분이 제목과 마찬가지로 완전히 상반된 내용을 담고 있으니. (그림) 오른쪽에 위치한 건물은 영적 세계를 상징하는 교회로서 그 앞에서는 사람들이 사순절(四旬節, 부활절을 앞두고 약 40일간 몸과 마음을 정결하고 경건하게 하며 지내는 기독교의 절기)을 기리며 절제와 금욕을 온 몸으로 실천하고 있는 중이다. 이와 대조적으로 왼쪽에 있는 건물은 세속을 상징하는 여관이며, 그 주변으로는 쾌락과 향락에 빠진 인간들이 신나게 사육제(謝肉祭, 가톨릭교 국가에서 사순재 직전의 3일 또는 7일간 행해지는 축제)를 즐기고 있다. 따라서 (두 번째) 그림의 왼쪽 부분은 위에 소개된 첫 번째 그림 (쾌락의 정원)과 같이 타락한 인간들의 행태를 담은 것이라 하겠다. 그러고 보니 두 그림은 그림체 뿐만 아니라 주제도 엇비슷하다.

음, 그렇다면 위의 두 작품의 작가 역시 같은 사람일까? 아쉽지만 그건 아니다. 첫 번째 그림은 이 책의 앞에서도 소개했던 '히에로니무스 보스(이하 보스)'가 그렸고, 두 번째 그림의 작가는 역시 앞서 등장한 바 있는 '피테르 브뤼헐(이하 브뤼헐)'이다. 헌데 회화에 문외한이나 다름없는 필자의 두 눈에도 어찌하여 두 그림이 이리 비슷하게 보일까? 그 이유는 바로 브뤼헐이 보스의 화풍을 창조적으로 모방한 계승자이기 때문이다. 즉, 한마디로 보스가 브뤼헐의 멘터(Mentor, 지도와 조언으로 그 대상자의 실력과 잠재력을 향상시키는 역할을 하는 경험과 지식이 많은 사람 혹은 스승)라는 것. 비록 보스는 1516년에 사망했고 브뤼헐은 1527년에 출생하여 둘이 얼굴을 직접 맞대고 회화에 대한 가르침을 주고 받을 기회는 없었지만 브뤼헐은 그림체뿐 아니라 보스의 그림이 담고 있는 인간의 욕망과 공포에 대한 깊은 성찰까지 물려 받아 이를 자신만의 독특한 화풍과 인간 세상에 대한 풍자로 승화시켰다. 그리하여 이들과 동 시대에 살았던 화가 'Karel van Mander(카렐 반 맨더)'는 "브뤼헐만이 보스의 진정한 계승자"라 평했으며, 이는 한마디로 자타가 공인하는 브뤼헐의 멘터는 다름 아닌 보스라는 것. 보스의 실제적인 가르침 없이 오직 그림을 통해서만 지도 편달을 받은 브뤼헐은 각고의 노력 끝에 '얀 반 에이크', '피터 루벤스', '히에로니무스 보스'와 함께 동 시대 미술의 4대 거장으로 평가 받기에 이른다. 따라서 이 둘의 관계를 한마디로 표현하자면 '청출어람(靑出於藍)'이라 할 수 있을 것 같다. 이 둘의 관계에 대해서는 여기까지만 하기로 하고, 이제는 이들과는 조금 다른 관계를 형성한 미술계의 초거물급 멘터-멘티(Mentee, 가르침을 받는 사람)에 대해서 알아보도록 하자.

두 번째 소개할 스승과 제자는 공동 작업을 통해 아래의 명작을 세상에 탄생시켰다.

위의 작품은 1475년에 완성된 'The Baptism of Christ(그리스도의 세례)'라는 그림인데, 누가 그렸을지 감이 좀 오시는가? 음, 필자가 독자들 수준을 너무 과대 평가한 것 같다 (^^). 스승과 관련된 힌트를 추가로 드리겠다.

본래 금 세공사 출신, 그림보다는 조각에 뛰어남, 메디치가의 후원을 받아 예술 활동함, 자신의 공방을 운영하며 많은 제자들과 함께 회화/조각/장식 공예품/악기/교회 종/창술 시합용 투구 및 무기는 물론 대포 및 불꽃놀이를 위한 장치까지 제작, 제자들의 작업에 일일이 간섭하기보다 자유방임적 스타일 견지, 또한 제자들이 세밀한 표현을 익힐 수 있도록 인체해부학을 공부할 것을 권함...

　이제 알아차리셨는가? 위에 소개한 멘터는 (역시 앞서 소개했던) '안드레아 델 베로키오(이하 베로키오)'이다. 그렇다면 제자는? 그렇다. 당연히 그 위대한(!) 다빈치이다. 14세 때 베로키오의 공방에 들어간 그는 그로부터 7년 후 스승이 주문 받은 위의 그림 작업에 함께 참가하게 되었고, 이것이 그가 처음 시도한 유화였다고 한다. 그가 그린 이 작품의 일부분에 대해서 어느 미술 전문가는 "우아하고 자연스러운 신체 표현, 섬세하게 빛나는 머리카락, 이지적이면서도 고귀함 그 자체인 용모, 눈이 번쩍 뜨일 정도의 기품..."이라고 침이 마르도록 추앙에 가까운 극찬을 늘어 놓기까지 했는데...제자의 실력에 완전히 주눅이 들어 버린 그의 스승 베로키오는 이보다 한술 더 떠 이 작품 이후에는 일절 그림을 그리지 않고 조각으로 전업했다고 하니. 자신은 각고의 노력을 통해 일류 화가의 반열에 올라섰건만 타고난 재능만으로 자신을 압도해 버리는 천재 제자 앞에서 철저하게 무너져 내린 것. 흠, 그런데 여러분께서는 다빈치의 실력이 발휘된 것이 어떤 부분인지 아시겠는가? 미술전문 서적에는 맨 왼편의 푸른 옷을 입은 천사가 다빈치가 그린 것이라는데...필자가 미술에 까막눈(?)이어서 그런지는 몰라도 스승이 그림을 포기할 만큼 기가 막힌 실력인지는 정말로 모르겠다. 그냥 다 비슷비슷해 보이는구만...아, 누가 그랬던가, 아는 만큼 보이고 보이는 만큼 느낄 수 있으며, 느끼는 만큼 표현할 수 있다고...

헌데 스승이 제자의 실력에 완전히 압도당했다면 영화 '아마데우스'에서 질투에 눈이 멀어 '천재파' 모차르트를 죽음에 이르게 한 '노력파' 살리에르처럼 갖가지 트집을 잡아 작업에서 배제해 버리거나 공방에서 쫓아 버릴 수도 있었건만 (그러나 영화에 나오는 내용은 모두 허구라고 한다. 오히려 살리에르는 모차르트에게 극작가인 로렌초 다 폰테를 소개해 주는 등 작품 활동에 도움을 주었고 2016년에는 둘이 함께 작곡한 악보도 발견되는 등 서로 존중하고 협력하는 관계였음) 그는 넉넉하면서도 대인배적인 성품을 지녀 (위에 언급한 것처럼) 평소에 제자들을 쓸데없이 괴롭히지 않았음은 물론 다빈치와의 관계도 나쁘지 않았다고 한다. 만일 그가 좁쌀 영감처럼 이것저것 간섭하고 사람을 피곤하게 만드는 성격이었다면 타고난 천재인 다빈치는 이를 단 한 순간도 견뎌내지 못했으리라. 또한 베로키오의 공방에서는 위에 소개한 것처럼 참으로 다양한 물품들을 생산해 냈기에 다빈치가 방대한 영역에 관심을 가질 수 있도록 문을 활짝~ 열어 줬고 말이다. 아울러 그는 미래의 미술 트렌드를 꿰뚫는 혜안을 지녀 다빈치를 비롯한 제자들에게 인체 해부학을 공부하게 했고 이는 훗날 다빈치가 '모나리자' 등 세기의 명작을 탄생시킬 때 인체에 대한 세세한 표현이 가능하도록 큰 도움을 주기도 했으니. 아, 이 분이야 말로 얼마나 좋은 스승이며 멘터였는가. 'Helen Keller(헬렌 켈러)'에게 'Anne Sullivan(앤 설리반)'이라는 멘터가 있었다면 다빈치에게는 베로키오가 있었다. 여담이지만 이때 그가 험한 말을 하거나 심지어 때려서라도 다빈치에게 끝 마무리 하는 것만 잘 가르쳤더라면 인류 미술의 역사가 바뀌어도 크게 바뀌었으리라.

지금까지 미술계의 대표적인 멘터와 그들이 길러낸 멘티들에 대해서 살펴봤는데, 이들의 경우에서처럼 우리가 투자를 위한 본원적 축적, 그리고 더 나아가 투자를 통해 부를 축적하는 데 있어서 좋은 멘터는 반드시 필요하다고 할 수 있다. 즉, 그들이 가진 것 하나 없는 상태에서 출발하여 어떻게 본원적 축적을 이루어 냈는지, 그 과정에서 어떠한 역경과 괴로움을 극복했는지, 실패했을 때 어떻게 회복했는지, 그리고 자기관리와 스트레스 해소는 어떻게 했는지 등등의 사안에 대한 정보와 도움을 받을 수 있음은 물론 본원적 축적 과정에서 우리가 맞닥칠 수도 있는 시행착오를 최소화하고 그 과정을 최대한도로 단축 시킬 수도 있다는 것. 그리고 멘터가 만약 현재 생존해 계시어 우리가 직접 찾아가 조언을 받을 수 있다면 더욱 좋겠지만 위의 보스와 브뤼헐의 관계에서도 알 수 있는 바와 같이 그가 남겨 놓은 작품이나 책 등을 통해서도 충분히 가르침과 배움이 가능하다. 최근엔 인터넷만 치면 이미 사망한 재테크 고수(高手)라 해도 생전의 행적에 대한 일거수일투족까지 파악이 가능하므로 얼마든지 제대로 된 코칭(Coaching)을 받을 수 있기도 하다. 하지만 기억하시라. 무엇보다도 중요한 것은 그의 가르침이 아니라 우리의 실행력이라는 것을.

끝으로 우리가 멘터를 정할 때 한가지 반드시 유의할 사항은, 'Warren Buffet(워런 버펫)'이나 'George Soros(조지 소로스)'처럼 왠지 지구에 사는 것이 아니라 저 멀리 떨어진 별에 사는 것 같은 초거물급 인사를 롤모델(Role model)로 하는 것보다 가능하면 (국내에서) 무일푼으로 시작해 50~100억원 정도의 자산을 일군 인물을 멘터로 정하고 그를 따라 하기 위해 노력하는 것이 나을 수 있다는 것. 회사를 운영하는 방식에 있어서도 중소기업과 대기업이 다르듯 수 조 원을 굴리는 세계 부자 순위 100위 안에 드는 사람과 우리 보통 사람과는 스케일이 달라도 한참 다를 것이기에 우리가 비교적 짧은 시간 내에 따라잡을 수 있는 사람들을 당신의 멘토로 정하고 그들을 따라 하기 위해 노력하라는 것이다. 일례로, 얼마 전 한 신문에서 숨어있는 재야 주식 고수들에 대한 기획 기사를 연재했었는데, 그 중에는 무일푼에서 시작해 P사 주식 하나만으로 70억 원의 자산을 모은 고수 (물론 익명으로 소개됨)와의 상세한 인터뷰가 소개되기도 했으니 참고하시기 바란다. 수 억 원을 주고 워렌 버펫과 같은 거물과 점심 한끼를 같이 먹는 것보다 이런 소소한(?) 자수성가형 부자의 경험담을 유심히 읽고 따르는 것이 오히려 본원적 축적은 물론 자산 형성에 더 큰 도움이 될 수 있을 것이다.

여기서 잠깐!

이번 장에서 우리는 본격적인 재테크를 위한 (종자돈의) 본원적 축적 전략에 대해서 논하고 있는데, 이러한 축적을 위해서는 구체적인 (축적) 방법을 실행하는 것 못지 않게

이의 근저를 이루는 토대를 단단히 구축하는 것 역시 매우 중요하다. 왜냐면 본원적인 축적에 성공함은 물론 이를 활용하여 많은 돈을 벌어 들인다 해도 그 토대가 단단하지 않으면 마치 밑 빠진 독처럼 그 동안 쌓아 올린 부가 밑으로 다 새버릴 것이기 때문이다. 그러기에 지금부터는 우리가 굳건히 쌓아 올린 부(富)의 공든 탑이 무너지지 않도록 토대를 구축하는 방법 두 가지를 알아보도록 하겠다. 그에 해당하는 하나는 가족 관리, 그리고 또 다른 하나는 건강이 될 것이다. 너무 쉽고 단순한 거 아니냐고? 진리는 본래 쉽고 단순한 거다. 그것을 실천하는 게 어렵고 복잡한 거지.

첫 번째. 나에게 빨대 꽂은 가족과는 절연하라!

Episode 1) 미켈란젤로가 시스티나 성당 천장화 (일명 천지창조) 작업을 막 시작하던 1508년 7월 동생에게 보낸 편지 내용 중 일부

"이런 짐승만도 못한 놈아! 너 같은 놈이 내 동생이라니

정말로 부끄럽구나! 네 놈이 임대사업을 하다 망했으면 그 뒤처리도 네 놈이 전부 책임져야지 어찌 돈 문제로 늙으신 아버지를 괴롭히느냐. 내가 당장 달려가 네 놈의 다리 몽둥이를 분질러버리고 싶지만 지금 하고 있는 일 때문에 참는다. 내가 몰락한 우리 '부오나로티' 가문을 살리기 위해서 얼마나 노력하고 있는지 너는 아느냐 모르느냐. 나는 우리 귀족 가문의 영광을 되살리기 위해서 온갖 괄시와 어려움을 견디며 그림을 그리고 있건만 네 놈은 대체 뭐 하는 놈이란 말이냐..."

Episode 2) 포르투갈 화가 'Paula Rego(파울라 레고, 이하 파울라)'의 삶과 그림

"파울라는 남편 빅토르 윌링을 사랑했고 그들의 결혼 생활에는 아무런 문제가 없었다. 빅토르가 1963년 심장 발작으로 쓰러지기까지는 말이다. (중략). 빅토르가 1966년에 다발성 경화증을 진단받으면서 이상적 부부관계는 완전히 산산조각이 난다. 빅토르가 오랜 시간 투병생활을 하는 동

안 파울라는 그림으로 가족을 부양해야 했기 때문이다. (중략). 병 간호가 20년을 넘길 무렵, 파울라는 결국 심상치 않은 그림을 그린다. (중략) 파울라의 그림 '가족'을 보자. 아버지를 '벗겨 먹는' 가족의 모습이 적나라하다. 부인은 '돈 버는 기계'로 전락한 가장의 손목을 쥐어짜고, 두 딸은 위협적인 모습으로 아버지의 '고혈'을 빨아 먹을 태세다. 부인은 물론이고 아이들의 표정도 냉혹함 그 자체다. (중략) 이 그림이 파울라의 자전적 경험을 담은 것이라면, 억압받는 대상은 여성이 되어야 할 것이다. 하지만 그림 속에서는 되레 부인, 딸 등 여성들이 억압자로 나타난다. 이는 빅토르에 대한 파울라의 무의식적인 보복 심리를 형상화 한 것이 아니었을까.

-이유리 작가가 쓴 '검은 미술관 (2011년, 아트북스)'에서 발췌-

스웨덴의 국민화가로 불리며 세계적인 가구 회사 'IKEA(이케아)'의 디자인에도 큰 영향을 미쳤던 'Carl

Larsson(칼 라르손, 1853 ~ 1919, 이하 라르손)'. 그의 그림을 보면 기분이 엄청 좋아진다. 왜냐면 라르손이 그린 그림의 대부분이 그와 아내, 그리고 8명 아이들의 행복한 가정 생활을 담고 있기 때문. 아래 그림을 포함해서 그는 아내가 책 읽는 모습, 햇살이 가득한 정원에서 아이들이 뛰노는 풍경, 가족들과 함께 크리스마스 파티를 즐기는 모습 등 일상에 숨어 있는 작은 행복을 그리고 또 그렸다. 심지어 2020년에는 '칼 라르손, 오늘도 행복을 그리는 이유'라는 책이 출판되기까지 했으니 어느 정도인지 대충 감이 오지 않는가.

그런데 어느 순간부터 필자의 머리 속에는 그의 그림이 현실이 아닌 상상 속에만 존재하는 추상화가 아닌가 하는 의심이 슬그머니 고개를 들기 시작했다. 물론 현실 속의 가정(家庭)에도 그의 그림에서처럼 행복에 겨운 모습이 존재하기도 하지만 경제적인 부담과 희생 (강요), 대립, 상처, (보호라는 이름의) 통제 역시 넘쳐나지 않던가. 그리고 심한 경우에는 위에 소개한 미켈란젤로나 파울라의 경우에서처럼 그러한 갈등이 극단적인 양상을 띠며 언어 혹은 행동으로 표출되기까지 하고 말이다.

미켈란젤로는 1475년 은행업을 가업으로 하던 귀족 가문에서 태어났지만 가업이 신통치 못해 그리 풍족한 성장기는 보내지 못했다고 전해진다. 5형제 중 장남이었던 그는 엎친 데 덮친 격으로 가족 중에서 유일한 소득원이었기에 동생들이 모두 그에게 빨대를 꼽고 열심히 빨아댔다고 하니. 이러한 이유로 미켈란젤로는 평생 동안 고객들과 돈 문제로 심하게 다툴 수 밖에 없었을 뿐 아니라 그가 그토록 그리지 않으려 했던 시스티나 성당 천장화를 그릴 수 밖에 없었다 (물론 그의 엄청난 예술적 도전 정신 역시 천장화를 그리게 된 커다란 요인이다). 위에 언급한 편지는 미켈란젤로가 천장화 (일명 천지창조) 작업을 막 시작했을 때 동생에게 보낸 편지인데, 경제적인 이유로 인한 가족들과의 극심한 갈등 및 엄청난 번민에도 불구하고 이를 위대한 예술로 승화시킨 그가 정말로 존경스럽다. 그리고 이 대목에서 어느 여배우의 한 마디가 생각난다. *(돈이) 궁할 때 최고의 연기가 나온다.*

비록 부(富)의 궁핍이 진정한 예술을 탄생시킨 밑거름이 되었을지도 모르지만 그는 가족과 돈 문제로 고단한 삶을 살았다. 만일 그가 형제들과의 모든 연을 끊었다면 좀 더 여유롭게 살 수 있었을 수도 있었겠으나 그는 그렇게 하지 않았다. 평생 독신으로 검소하게 살았고 또 예술에 있어서만은 '성스러운 분'이라는 뜻의 '일 디비노(Il Divino)'라는 별명을 얻기도 했지만 돈 문제와 관련해서 자신에게 크게 의지하는 형제들 때문에 재테크에는 실패하고 만 것이다. (참고로, 미켈란젤로는 시스티나 천장화를 그릴 때 급료를 제대로 받지 못해 파산을 겪기도 했다. 그러나 후에 자신의 실력을 인정한 교황들의 지원으로 인해 경제 상황이 점차 나아지긴 한다.)

　　이번에는 미켈란젤로보다 약 400년 후에 태어나 가족(남편)에게 닥친 병마로 인해 20대 후반부터 50대 초반까지의 약 25년을 돈벌이와 병 간호로 보내야만 했던 파울라의 인생을 들여다 보도록 하자. 그녀는 위에서 언급한 '가족'이라는 작품 외에 '소녀와 개'라는 연작 그림에서도 (그림의 주인공인) 소녀가 개를 단순히 학대하는 것을 넘어 성적(性的)으로 희롱하고 살해하기까지 하는 작품을 남겼지만 현실에서는 병상에 누운 남편을 지극정성으로 간호함은 물론 그림을 그릴 때에도 그의 조언을 들으며 작업 했다고 한다. 하지만 그녀는 남모르게 육체적으로도 심리적으로도 서서히 그리고 결국에는 완전히 지쳐갔던 것 같다. 그러면서 자신의 억눌린 감정과 본능을 저러한 끔찍한 그림으로 형상화시켜 발표했던 것.

　　음, 필자는 그녀가 처했던 상황과 심리 상태를 완벽하게 알지는 못하지만 제3자로서의 객관적인 시각에서 볼 때 국가의 재정적인 지원이나 간병인의 도움을 요청

해서 받는 것이 어땠을까 하는 생각이 든다. 또한 별거 등을 통해 남편과 거리를 두고 살았다면 (물론 남편의 치료나 간병을 위한 재정적인 지원은 어느 정도 하면서) 조금 더 긍정적인 마인드로 보다 더 밝은 그림을 탄생시키지 않았을까. 겉으로는 아무렇지도 않은 듯 행동했지만 자신의 모든 억눌린 심리 상태를 그림에 쏟아 부어버린 그녀가 내심 안타깝다. 정답이 아닐지도 모르지만 (이러한 상황에 정답이 있을 리 없다) 이 상황에서 생각나는 영화의 한 장면이 있다. 바로 'Julia Roberts(줄리아 로버츠)'가 2010년에 출연한 'Eat Pray Love(먹고 기도하라 사랑하라)'에 등장하는 한 씬(Scene). 그녀의 전남편이 "I miss you (난 당신이 너무 그리워)"라는 메시지를 보내자 그녀는 "So, miss me. Send me love and light every time you think of me... Then drop it. It won't last forever. Nothing does. (그럼 실컷 그리워해. 그리고 날 생각할 때마다 내게 사랑과 빛을 보내줘. 그리고는 다 잊어버려. 그런 감정은 오래 가지 않을 테니. 이 세상에 영원한 것은 없이)"라 답힌디. 행복이란 건 지극히 주관적인 감정

143

이겠지만 영화 속 줄리아와 현실 속의 파울라 중 누가 더 행복했을까. 재정적으로든, 심적으로든.

'검은 미술관'이라는 책에서 '이유리 작가'는 "가족 간에는 어떠한 문제도 있어서는 안된다는 환상에서 벗어나라. 가족은 사랑으로 반드시 내가 지켜야 할 존재라는 것에서도 벗어나라. 자기 존재를 질식시키면 반기를 들어라. 가족은 서로에게 위로의 말 한마디 보태 주고 멀리서 박수 쳐주는 관계가 되어야 한다"고 했다. 즉, 일본 농구 애니메이션 '슬램 덩크'의 명언인 "왼손은 거들 뿐"이라는 말과 같이 "가족은 거들 뿐"이라는 전제가 성립되어야만 가족 구성원 모두가 행복에 가까워 질 수 있다는 것. 필자 역시 전적으로 이 작가의 주장에 찬성하며, 이에서 더 나아가 미켈란젤로의 형제들처럼 마냥 한 쪽의 희생만을 강요하며 주구장창 "빨대를 꼽고 피를 빨아 댄다면" 관계를 완전히 끊는 것도 자신의 물적(物的) 그리고 정신적인 행복에 큰 도움이 될 것이라 믿어 의심치 않는다.

물론 자신의 가족에게 갑작스런 병마가 덮치거나 피치 못할 실직 등을 한다면 할 수 있는 한 최대한 돕는 것이 도의 및 인륜적인 측면에서도 맞겠지만, 전적으로 그의 잘못으로 인한 사업 실패에 대해 밑도 끝도 없이 경제적인 도움을 요청하거나 도박/마약/사기 등 범죄에 깊게 빠진 가족이 "이번 한번만 더!"라며 지속적으로 손을 벌린다면 조금 냉정할지는 몰라도 관계를 완전히 끊는 것도 우리가 선택할 수 있는 방법 중 하나라는 것이다. 최근 한 배우는 탈세 혐의로 사회적으로 큰 물의를 일으킨 부모와 절연했으며, 또 다른 여배우 역시 자신의 이름을 팔며 십 수년 간 사기를 쳐온 부모와의 관계를 끊었다. 이는 부모 형제가 아닌 자식도 마찬가지다. 자식의 경우 어려서부터 철저한 경제 관념을 가질 수 있도록 끊임없이 가르쳐야 하며, 경제적인 독립을 할 수 있도록 최대한 지원하는 것이 궁극적으로 자기 자신이 풍족한 생활을 보내는 데 큰 도움이 될 것이다. 만일 그러한 교육 및 지원에도 불구하고 방탕한 생활을 일삼으며 지속적으로 경제적인 도움을 요성한다면 질연이 자신의 부를 지킬 수 있는 최후의 수단이 될 수도 있을 것이고 말이다. 필자의 한 지인은 부모님께서 이번이 정말 마지막이라고 하시며 주신 사업 자금도 다 날려 먹고 또 다시 부모님에게 "가지고 계신 적금을 담보로 대출 받아 사업자금에 보태달라"고 부탁했다가 부모님으로부터 "추석이고 설이고 다시는 얼굴 보이지 말아라!"는 대답을 들었다고 한다. 그 지인은 부모가 돼서 어떻게 자식한테 그럴 수 있느냐고 격분했지만 필자의 판단에 그의 부모님의 선택은 크게 잘못되지 않은 것 같다. 그는 이제 더 이상 그들의 자식이 아니라 '밑 빠진 독'마저 깨버리려고 하는 불한당에 지나지 않기에.

[위에서 언급한 파울라의 그림은 본 책에 삽입하려고 했으나 저작권 문제로 넣지 못했다. 인터넷 등에서 꼭 찾아서 한번씩 보시길 바란다.]

두 번째. 머니머니해도 머니, 아니 건강이 제일 중요하다!

아래 그림은 'Amedeo Modigliani(아메데오 모딜리아니, 이하 모딜리아니)'가 생애 마지막으로 그린 'Portrait of Marios Varvoglis(마리오스 바르보글리스의 초상화)'라는 작품이 되겠다 (간혹 모딜리아니의 자화상 혹은 그의 아내인 잔 에비테른을 그린 그림이 마지막 작품이라는 주장이 있기도 하다). 작곡가였던 이 그림의 모델의 성격이 본래 그랬던 건지는 모르겠지만, 음, 얼굴이 썩 밝게 보이지는 않는다. 뭔가 골똘히 생각하는 것 같기도 하지만 눈에 초점도 없고 아무튼 왠지 전체적인 분위기가 꽤나 우울하다.

이 작품은 모딜리아니가 사망하기 1년 전인 1919년에 그린 그림으로 그 당시에도 이미 결핵으로 고통 받던 그의 건강 상태는 매우 나빴다고 한다. 아니, 어릴 적부터 병약했던 그는 35년의 짧은 생애 동안 늑막염, 폐렴, 장티푸스, 결핵 등 온갖 병에 시달렸다고 하니. 이 작품 역시 병마로 시달리던 그의 심리 및 신체 상태가 반영되며 모델의 실제 모습과는 다른 저런 음울한 형태로 남은 것은 아닐지. 천성적으로 몸이 약하다면 관리라도 잘해야 했건만 1906년 '전세계 예술가들의 중심지'인 프랑스 파리의 몽마르뜨로 이주한 그는 그 때부터 술과 마약에 찌들어 버렸으니. 게다가 자신의 작품이 제대로 된 평가도 받지 못하면서 극심한 가난에 시달리게 되자 완전히 무절제한 생활에 빠져들었고, 급기야는 술과 마약에 취해 길거리에서 잠을 자고 작업실에서 쓰러지기까지 했다고 한다. 그러던 와중에 'Jeanne Hébuterne(잔 에뷔테른)'과 결혼해 딸을 낳기도 하는 등 가정을 꾸리기도 하지만 결국 그는 1920년 35세의 젊은 나이에 세상을 하직하고 만다.

모딜리아니는 평생 그림과 조각을 합쳐 약 400여 점

의 작품을 남겼다고 하는데, 역사 혹은 인생에서 '만약'은 아무런 의미도 없긴 하지만 만약 그가 조금만 더 건강했거나 조금만 더 오래 살았더라면 그의 뛰어난 예술성이 보다 더 활짝 만개(滿開)하지 않았을까. 또한 그가 그린 작품 속 색채도 훨씬 더 밝아졌을지도 모를 일이고 말이다.

그와 친구 사이였으며 1973년 92세의 나이로 사망한 파블로 피카소(1881~1973)는 유명 화가 중 가장 장수했을 뿐 아니라 그림과 조각, 도자기 등을 합쳐 무려 5만여 점에 달하는 작품을 남긴 금세기 최고의 작가이다. 그 역시 젊을 적에는 모딜리아니와 마찬가지로 마약을 상습적으로 복용했다는 주장이 있기도 하고 거의 평생 동안 술과 담배를 즐겼지만 80대의 나이에 50살이나 젊은 여성들과 연인 관계를 유지할 정도로 좋은 건강을 유지했었다. 게다가 그는 80세 이후 체력은 조금 떨어졌을지언정 상상력과 그림 실력은 줄지 않아 무려 90세에 자화상을 남겼고 심장마비로 사망하기 바로 전날까지도 작업실에서 그림을 그렸다고 하니. 그의 위대함은 뛰어난 그림 실력과 지치지 않는 창작욕에 못지 않은 건강하고도 튼튼한 신체가 낳은 산물이라 할 것이다.

인터넷에 올라와 있는 사진 한 장이 필자의 눈을 잡아 끈다. 1916년 파리의 한 카페 앞에서 이제는 전설이 되어버린 피카소와 모딜리아니가 함께 찍은 사진이다. 그로부터 4년 후 모딜리아니는 숨을 거뒀지만 그 옆에 있던 피카소는 자기보다 3살이 어린 모딜리아니가 사망하고 나서 무려 53년이나 더 살다가 하늘 나라로 떠난다. 결과적으로 이 지구에서 모딜리아니보다 56년을 더 산 피카소는 그보다 100배가 넘는 작품을 이 세상에 남겼다.

이 둘은 모두 타고난 재능을 예술로 승화시킨 위대한 화가로 추앙 받고 있지만 한 명은 가난에 시달리다가 젊은 나이에 세상을 떴고 다른 한 명은 거의 준재벌급에 달하는 재산을 누리며 무려 구순의 나이까지 살았다. 아무리 좋은 엔진을 가졌어도 기름(혹은 전기)이 없으면 앞으로 단 1미터도 나갈 수 없는 명품 자동차처럼 화가 역시 그림 그리는 역량이 아무리 뛰어나다 할 지라도 굳건

한 체력과 강철 같은 건강이 뒷받침되지 않으면 뛰어난 예술작품을 만들 수 없다. 아니, 예술 작업이나 이를 활용하여 돈을 버는 것은 고사하고 치료 및 약값으로 돈이 줄줄 새서 외부로부터의 지원이 없으면 밥 먹을 돈이나 물감 살 돈마저 없을지도 모른다. 게다가 몸이 아프면 괜스레 짜증이 나고 정신 자체가 비관적이 되기에 활활 타오르는 창작욕은 저 멀리 날아가 버리고 절망에 쩔어 버린 삼류 예술가만 남게 될 수도 있고.

이는 궁극적으로 부자가 되기를 갈망하며 본원적 축적에 힘쓰는 우리에게도 적용된다. 몸이 아파 일을 못해 돈을 벌지 못하는 것은 물론 병원비로 가진 돈마저 밑 빠진 독처럼 줄줄 샌다면 부자가 되기는커녕 점점 더 가난의 덫에서 헤어나오지 못할 것이다. 그리고 병든 신체마냥 정신도 점점 황폐화 되면서 부에 대한 욕망은 어느새 사라져 버리고 세상에 대한 원망만 남을 지도 모를 일이고 말이다. 참으로 진부한 말이긴 하지만, 건강은 건강할 때 지키는 게 최고다. 그리고 몸에 좋은 걸 먹으러 다니는 것보다 몸에 나쁜 걸 피하는 것이 훨씬 낫고 말이다. 건강한 신체를 타고 나지도 못했으면서 몸과 마음에 해로운 것만 섭취하시다가 요절하신 그 누구를 머리 속에 떠올려 보시라.

이처럼 좋은 건강을 유지하고 병마를 피하는 것도 중요하지만 사고로 인한 신체의 상해도 최대한 조심해야 한다. 위 그림을 그린 말(馬)을 엄청 사랑하여 말을 그리는 것을 좋아했던 화가 'Théodore Géricault, 테오도르 제리코)'는 승마 역시 좋아했지만 말을 타다가 당한 부상으로 인해 32세의 젊은 나이에 사망하고 말았다. 그는 유언으로 "아직 아무것도 하지 못했어!"라는 말을 남겼다고 하는데, 이와 비슷한 나이인 35세에 사망한 모딜리아니 역시 가슴 속으로는 저 말을 크게 외쳤을 지도 모를 일이다. 자, 우리도 외쳐보자. 부의 지름길로 가기 위한 준비 과정일 뿐 아니라 본격적인 투자를 하는 와중에도 가장 중요한 것은 건강, 건강, 건강! 이라고. 그리고 오늘, 아니 지금이 시간부터 자신의 건강을 향상시키기 위한 구체적인 계획을 세워 당장 실행에 옮기자.

자, 여기까지가 본격적인 투자를 실행하기 이전에 종자돈을 마련하기 위한 방법이 되겠다. 이제 투자를 하기 바로 전단계인 정보 수집 방법에 대해서 알아보도록 하자.

2장. 정보 수집과 활용 방법

높은 수익을 거둘 수 있는 제대로 된 투자를 하기 위해서는 수많은 관련 정보의 습득 및 필터링, 그리고 여과된 정보를 자신의 머리 속에 축적/활용하는 과정이 반드시 필요하다. 세월의 흐름에 따라 새로운 지식은 현재는 물론 미래에도 계속 출현할 것이기에 현존하는 지식을 흡수 및 소화시키는 것만큼 낯선 정보에 대한 거부감 없는 태도와 항시 공부하는 자세 역시 필요불가결하고 말이다. 그럼 지금부터는 (투자를 위한) 정보 수집과 활용에 있어서 가장 주요한 세 가지 방법을 아래에서 알아보도록 하자.

첫 번째. 항상 공부하라

새로운 지식 습득을 위해 선열의 발걸음을 따라 학구열을 불태워라!

위의 그림은 르네상스 3대 거장인 'Raffaello Sanzio(라파엘로 산치오)'가 그린 'The School of Athens(아테네 학당, 1511년 작)'로 당시까지 가장 유명했던 54명의 (서양) 학자들을 담은 작품이다. 이 그림에 등장하는 주요 인물은 디오게네스, 소크라테스, 플라톤, 아리스토텔레스, 피타고라스, 에피쿠로스, 헤라클레이토스 등으로 그냥 유명한 정도가 아니라 (서양) 학문의 역사를 완전히 바꿔놓으신 어마어마한 분들이시다. 이들에 더해 (그림의) 7시 방향에는 등장 인물 중 유일한 이슬람교도요 뛰어난 철학자이자 법학자였던 '이븐 루시드'가 골똘히 뭔가를 생각하고 있으며, 그 바로 오른 편에는 역사상 최초의 여성 수학자이자 훌륭한 천문학자이기도 한 '히타피아'가 흰 옷을 입고 정면을 지긋이 바라보고 있으니. 그리고 그녀는 이렇게 얘기하고 있는 듯 하다. "우리는 이미 위대한 학자의 반열에 올라섰는데도 이렇게들 열심히 공부하고 토론하는데 너희들은 대체 뭣들 하는 게냐? 인생은 짧고 학문의 길은 멀단다!"라고 말이다. 아, 가슴 한구석이 정말로 뜨끔하게 저려오지 않는가? 몇 천 년의 세월이 흘렀는데도 아직까지도 공부 열심히 한 걸로 기억되는 저 분들, 머리도 물론 좋았겠지만 상상을 초월할 만큼의 노력도 분명 뒤따랐으리라. 이 책을 읽는 모두가 저 그림을 스마트폰 배경으로 깔아놓고 (투자) 공부하기가 싫을 때마다 한번씩 꺼내 보면서 (돈) 공부를 향한 불 같은 전의를 다지기를 간절히 바래본다.

반드시 신문을 반드시 읽어라, 인터넷뿐 아니라 종이 신문

도!

　"자, 아시겠죠, 여러분? 다시 한번 말씀 드리지만 신문에는 누구나 다 아는 정보만 나오기 때문에 볼 필요가 전혀 없다는 것입니다. 신문에 나온 정보는 진작에 모든 사람들에게 공개되어 주가 혹은 회사 가치에 이미 다 반영이 돼있다는 것이지요. 그럼 뭘 보느냐, 제가 보내드리는 새롭고도 참신한 돈이 되는 정보만 보세요. 1년 구독 가격은 OOO만원입니다. 이 세상에서 오직 저만이 드릴 수 있는 소중한 정보이기에 할인 같은 건 절대 없습니다. 에헴."

　때는 2000년 여름, 새천년을 맞아 한참 재테크와 부자 되기 열풍이 나라를 집어 삼키고 있었다. 필자 역시 돈 많이 버는 방법에 대해 어찌어찌 정보 좀 얻을 수 있을까 해서 스타 재테크 강사의 특강에 참가했었는데, 그는 언뜻 듣기엔 그럴 듯 하지만 한 번 더 생각해 보면 완전히 궤변인 말도 안되는 소리만 연신 지껄여 대고 있었다.

그렇다면 그의 주장은 왜 헛소리일까. 그의 말대로라면 경영학을 공부하고자 하는 사람은 경영학원론을 공부해서는 안되고 철학을 전공하려는 사람은 철학개론 서적을 절대 읽어서는 안되기 때문이다. (만일 그가 맞다면) 경영학원론이건 철학개론이건 관련 공부를 하는 사람들 모두가 이미 모두가 아는 낡은 지식인데 알아서 뭐하겠느냐 말이다. 하지만 당연히 이건 말도 안된다. 어느 과목이던 원론과 개론이 그 공부를 하는 데 있어서 기본과 토대가 되는 법이고, 이를 바탕으로 좀 더 깊고 심오하게 자신의 학문을 발전시켜 나가야 하기 때문이다. 이와 마찬가지로 투자에 있어서 제일 기본이 되는 정보의 원천은 뭐니뭐니해도 (경제) 신문이라 할 것이다. 세상 돌아가는 것은 물론 국내 및 세계의 경제 현황, 내가 관심 있는 회사의 최근 재무 정보 등을 가장 빠르고 정확하게 알려주기 때문이다. 이렇듯 새로운 정보에 대한 관심을 지속적으로 갖고 신문을 통해 흡수하되 한 가지 신문만 보지 말고 여러 신문을 검토 비교해 가면서, 또한 TV 뉴스 속 경제 전문가의 견해도 들어 보면서 어떤 것이 진

실인지 판단해서 옳은 정보만 자신의 머리 속에 넣고 행동하여야 할 것이다.

아울러 때때로 (최소한 1주일에 한번은) 종이 신문을 훑어 보는 것 역시 많은 도움이 되는데, 그 이유는 인터넷 뉴스 포탈(Portal)에는 (뉴스의 중요도를 1부터 10까지로 분류한다고 할 때) 아주 중요한 1부터 3까지의 뉴스와 그 외의 쓰레기나 다름없는 (즉, 중요도가 매우 낮은) 7에서 10까지의 뉴스만 나오지 정작 우리의 투자 결정에 가장 도움이 될 수도 있는 4에서 6까지의 뉴스는 웬만해서는 찾아 보기 어렵기 때문이다 (물론 인터넷에도 게시는 되지만 좀처럼 눈에 잘 띠지 않는다). 이를 보완하기 위해서 1주일에 최소한 1회는 종이 신문을 볼 것을 독자들에게 강력히 권한다. 그렇다고 꼭 돈을 내서 신문을 구독할 필요는 없다. 만일 여러분이 회사에 다니고 있다면 사무실 여기 저기를 굴러다니는 신문이 분명 있을 것이고, 회사에 재직하지 않더라도 동네 근처에 있는 시립 혹은 구립 도서관에만 가면 신문을 얼마든지 공짜로 볼 수 있다.

'의도적인 멍 때리기'로 자신만의 생각을 구축하고 정리하라!

"책 읽다 떠오른 생각에 순간 그녀의 몸이 굳었다. 소녀의 눈은 한 곳에 고정되어 있지만 눈에 보이는 대상을 보고 있는 것이 아니다. 지금 소녀의 머리 속에는 무수히 많은 생각들이 빛의 속도로 건너가고 또 건너오고 있을 것이다..."

위의 글은 어느 작가가 상단의 그림을 보고 느낀 감회를 적은 글인데, 어떠신가, 그의 의견에 찬성하시는가? (모델이 너무 예쁘다고 그녀 얼굴만 뚫어지게 쳐다보지 말고 제발 생각 좀 해보시길. ^^) 이 그림은 'Pierre Auguste Cot(피에르 오거스트 코트)'가 그린 'Pause for thought(생각을 위해 잠시 멈추다, 1870년)'라는 작품으로, 열심히 책을 읽다가 문득 무슨 생각이 떠올랐는지 정면을 응시하며 골똘히 사색에 잠겨있는 소녀의 모습을 화폭에 담았다. 필자 역시 그녀의 머리 속에 들어갔다 나올 수는 없는 노릇이기에 소녀가 무슨 생각을 하고 있는지 정확히 알 수는 없지만, 아마도 욕탕 안에서 진리를 깨달아 'Eureka(유레카)!'를 큰 소리로 외친 그리스의 수학자 아르키메데스처럼 뭔가 심오한 것을 갑자기 깨달았을지도 모를 일이다.

앞서 언급한 것처럼 투자를 위한 많은 정보와 기사를 읽고 들으며 자신의 머리 속에 꼭꼭 집어 넣는 것도 중요하지만 때로는 (위 그림 속) 그녀와 마찬가지로 의도적인 혹은 효율적인 '멍 때리기' 역시 필요하다. 하지만 멍 때리기를 한다고 해서 아무런 생각 없이 그냥 멍한 상태로 빈둥빈둥 시간을 보내라는 얘기가 아니라 앞 장에 소개했던 다빈치의 말마따나 "화가는 아무 일도 하지 않을 때 가장 많은 일을 하는 것"처럼 자신이 이미 습득한 정보를 머리 속에서 다시 한번 음미하며 국제 경제 혹은 시장이 어디로 흘러갈지 상상 (혹은 추론)해 보는 동시에 신문 기사의 진위를 의심해 보며 추가 검증하는 시간을 가지라는 것. (정보의) 추가 검증과 관련해서는 지금은 고인이 되신 유명 천문학자 'Carl Sagan(칼 세이건)'의 말씀을 기억하도록 하자. "당신이 사실이라고 믿고 싶다고 해서 그것을 맹목적으로 믿는 것은 매우 위험하다. 왜냐면 권위를 가진 사람들의 말을 의심해야만 큰 손해를 방지할 수 있기 때문이다. 오직 치밀한 검토 후에도 살아 남는 것만이 진리이다".

한마디로 말해서 (머리를) 채웠으면 비워야 하고, 비웠으면 다시 채워야 하며, 채운 것은 자기 머리 속에서 검증해 봐야 한다. 어느 야구 선수 역시 "힘들게 연습했으면 푹 쉬어야 했고, 쉬면서 실제 경기에서의 자신의 플레이를 머리 속으로 복기하며 개선 방향을 찾아야 했다. 하지만 그렇게 하기는커녕 뭐라도 해야 한다는 의무감으로 몸만 혹사시키는 바람에 선수 생활에 실패하고 말았다"고 고백하지 않았던가. 프로에서 성공하지 못하고 실패해 버린 그의 말이기에 더더욱 깊숙이 가슴에 와 닿는다. 우리는 그와 반대로만 하면 성공할 가능성이 몇 배는 더 상승할 것이다.

쉽고 아는 것만 공부하지 말고 자신이 모르는 어려운 것을 중점적으로 공부하라, 그리고 자신이 틀렸다는 사실을 알아차렸다면 바로 고쳐라!

위 그림은 미켈란젤로의 'The holy family(성 가족, 聖家族)'라는 작품으로, 제목 및 내용에서 알 수 있는 것과 같이 아기 예수, 성모 마리아, 그리고 그녀의 남편인 요셉, 이렇게 세 명이 주연으로 등장한다. 아마도 필자를 포함한 관객들의 눈에는 그림의 주인공인 이 세 사람의 모습만 쏙~하고 들어 오겠지만 작품을 유심히 들여다 보면 그림 뒤편의 우측에는 소년의 모습을 한 세례 요한이, 그리고 그 왼편에는 몇 명의 남성이 그려져 있다는 것을 알게 된다. 미술 전문가들에 따르면 성가족이 위치한 그림 앞부분은 그리스도의 세계를, 뒤편의 남성들은 이교도(異敎徒)의 세계를 상징하며, 세례 요한이 두 개의 이질적인 세계를 연결하는 역할을 하고 있다고 한다. 따라서 이 그림의 조연인 세례 요한과 기타 남성들의 존재를 매의 눈으로 알아차려 화가가 전달하고자 하는 바를 깨달을 수 있는 사람이야 말로 진정 미술에 조예가 깊은 실력자라 할 수 있을 것!

그렇다면 여기서 우리가 반드시 기억해야 할 실천 사항은 무엇일까. 그것은 눈에 쉽게 띄어 바로 알 수 있는 것, 혹은 자신이 관심 있는 것만 보지 말고 어떤 사물 혹은 사안이건 간에 유심히 살펴 그 배후에 숨겨진 것을 파악하기 위해서 물심양면으로 노력해야 한다는 것. 흔한 얘기로 사람들 생각이나 마음은 다 거기서 거기라고, 내가 쉽게 알 수 있는 것은 남들도 쉽게 파악 할 수 있는 법이고, 내가 하기 싫은 일은 남들도 하기 싫은 법이다. 누가 봐도 쉬운 일이나 자기가 관심 있어 하는 일을 누가 못하랴. 자신에게 전혀 관심을 끌지 못하는 일도 척척 잘 해내는 사람이야말로 진정한 실력자요, 장차 재테크에 성공할 가능성이 높은 인재라 하겠다.

위의 그림을 그린 미켈란젤로 역시 스스로 자신은 화가가 아닌 조각가라고 생각했기에 교황 율리우스 2세가 명한 시스티나 성당 천장화를 그리고 싶은 마음이 전혀 없어 (위의) '아테나 학당'을 그린 라파엘을 추천하고는 요리조리 피해 다녔지만, 어쩔 수 없이 작업을 떠맡게 되자 진정한 예술가의 피가 절절~ 끓어오르며 전심전력을 다하게 된다. 그리하여 그는 교황이 본래 그리라고 한 12사도가 아닌 천지창조, 인간의 타락, 노아의 일화 등 총 9가지 장면을 그리겠다고 자발적으로 제안하고는 4년 동안 지상에서 20미터나 떨어진 현기증이 날 정도로 높은 작업대에서 고개를 뒤로 젖힌 불편하기 이를 데 없는 자세로 작업하였고, 그 결과 인류 예술사, 아니 역사에 길이길이 남을 명작을 탄생시켰다. 우리도 이 미켈란젤로를 본받아 아무리 하기 싫고 관심이 없다고 할지라도 알 수 없는 숫자로 도배된 기업의 재무제표나 복잡한 주식 분석표도 꾸준히 들여다 보고 분석해 가면서 재테크 성공을 위한 기반을 닦아야 할 것이다.

이에 더해 새로운 것을 익히는 과정에서 기존에 자신이 가지고 있던 지식이나 정보가 잘못 되었다는 것을 깨달았다면 그 즉시 잘못된 것을 바로 잡아야 한다 (한자로는 공자님께서 말씀하신 과즉물탄개, 過則勿憚改가 되겠다). 여기에 딱 적합한 예술가가 르네상스 시대의 대표 화가이자 바로크의 시대를 활짝 열어 젖힌 'Tiziano Vecellio(티치아노 베첼리오, 1488~1576)'가 되겠다. 그의 초기 작품들에는 선명한 선이 강조되어 있으나 인생 말기에 그린 그림에는 흐릿한 선과 소용돌이치는 색채 표현,

자유로운 붓 터치 등 바로크식 특성이 여실히 드러나 있다. 특히 그가 70대에 그렸다는 (그는 그 당시로는 놀라운 나이인 89세까지 살았다) 아래의 그림(the abduction of Europa, 에우로파의 납치)에는 기존의 방식에 만족하지 않고 끊임없는 변화를 추구하는 완벽주의자의 풍모가 가득 나타나 있다고 한다. 그는 자신만의 유화 기법으로 독특한 화풍을 만들어 냈을 뿐 아니라 루벤스 등 바로크 화가들의 큰 존경 역시 받았으니 끊임없이 변화를 추구한 노력에 상응하는 대가를 톡톡히 받은 것이다. 우리 또한 그를 따라 손실 최소화 혹은 수익 극대화를 위해서라면 바로 바로 자신의 잘못된 투자 방식을 점검 및 수정해 나가야 할 것이다. 예를 들어 남들이 다 오른다고 떠들어 대는 주식을 샀다가 어느 날 갑자기 (객관적으로 충분히 검증된) 부정적인 정보를 접했다면 다소 손해를 보더라도 모든 미련을 접고 바로 손절 하라는 것 (이는 주식뿐 아니라 사람도 마찬가지지). 이렇게 해야만 잘못된 투자를 했더라도 손실을 최소화 할 수 있으며, 궁극적으로는 최대한의 수익을 기록할 수 있을 것이다.

두 번째. 돈 많다고 떠들어 대는 인간들을 믿지 마라!

(경영) 컨설팅업계에 전설처럼 떠내려 오는 얘기 중에 "클라이언트(Client, 고객)는 학벌이 좋지 않은 컨설턴트를 신뢰하지 않는다"는 말이 있는데, 어떤 측면에서 이 말은 상당히 신빙성이 있다고 할 것이다. 컨설팅 펌(Consulting Firm)에 경영 자문을 의뢰하는 회사, 즉 클라이언트는 (규모나 수준에 따라서 조금씩 차이는 있겠지만) 최소한 수 년간 그 업계에서 사업을 해왔을 것이고, 특히

회사 대표는 분명 (물론 그렇지 않은 경우도 가끔씩 있긴 하지만) 해당 사업의 최고 전문가 중의 전문가일 것이다. 음, 그런데 그런 그가 사업을 하다가 큰 암초를 만났는데 내부 인력을 아무리 가동해서 문제를 풀어보려고 해도 문제는 점점 더 실타래처럼 엉켜가기만 하고 머리는 복잡해지기만 한다. 장시간에 걸친 깊은 고민 끝에 그는 결국 최소 수 억, 최대 수십 혹은 백억에 달하는 외부 컨설팅을 받아 보기로 한다. 목하 여러 컨설팅업체를 물색 중인 그의 마음 속에는 분명 그가 지불해야 할 엄청난 (컨설팅) 비용만큼이나 높은 기대 심리가 굳건히 자리 하고 있을 것이다. "이 사업에 관한 한 최고 전문가인 나도 풀지 못하는 이슈를 척척 풀어내는 인재라면 분명 그럴듯한 대학에서 학-석-박사를 마치고 수년간 세계 유수의 회사에서 실무 경험을 한 후 최소한 수년째 컨설팅을 하고 있는 일류 인재일 것이다", 뭐, 이런 종류의 기대 혹은 희망 사항 말이다. 몇몇 컨설팅 펌에서 팀 구성원의 프로필이 포함된 제안서를 받아 든 그는 결국 세계 정상급 대학을 졸업한 컨설턴트가 다수 포진한 업체를 선택한다. 비록 경영 지문을 받는 과정에서 조금 실망할 수도 있고 이로 인해 본전 생각도 나겠지만 결국엔 그들이 제시한 의견을 따를 가능성이 높다. 왜일까? 학력 수준도 엄청 높고 직장과 컨설팅 경력도 풍부한 분들의 전문적이고도 고매한 조언이기에. 또한 그들의 조언에 따라 시행한 결과가 그다지 좋지 않다 해도 그는 "세계 최고 수준의 인재들이었기에 이만큼이라도 된 거지, 컨설팅을 받지 않았거나 수준이 좀 떨어지는 인력을 활용했다면 분명 상황이 더 안 좋아졌을 거야…"라며 스스로 자위할 가능성이 높다.

하지만 이러한 사고(思考) 혹은 현상에 대해서 무작정 비난을 퍼부어 대는 것도 그리 옳은 것 같지는 않다. 왜냐면 이는 난생 처음 같이 일해보는 컨설턴트들의 전문성을 (사전에) 엄밀히 평가 할 수 있는 유일한 기준이 그들의 학력 혹은 경력뿐이기 때문이기도 하고, (위에서도 언급한 것처럼) 비록 그들 중 일부가 겉만 번지르르하고 속은 텅텅 빈 쭉정이라 해도 잘 짜여진 포맷에 맞춰 논리적으로 전개해 나가는 문제 해결 과정이 누가 봐도 왠지 '그럴 듯' 해 보일 수도 있기 때문이기도 하다. 이는 세계에서 가장 학위를 취득하기가 어렵다는 독일에서 박사 학위를 받으신 어느 교수님의 말씀과도 일맥상통한다고 볼 수 있는데, 그는 어느 신문 지상에 자신의 주장을 쫙~하고 펼친 후에 "지금까지 내가 한 얘기는 누구나 다 할 수 있는 당연한 말일 수도 있지만 사람들은 '독일 박사'인 내가 하는 말을 훨씬 더 신빙성이 높다고 생각하며 수긍한다. 그건 내가 10년 동안 머리 싸매고 공부해서 박사 학위를 받은 것을 인정해 주는 것이거나 혹은 그들의 선입견 일 수도 있지만, 결과는 어차피 똑같다. 그리고 그것이 세상이다."

만일 이 같은 현상 (혹은 상황)을 재테크 관련 정보를 제공하거나 혹은 투자를 대행해주는 업계에 적용해 본다면 컨설팅업계의 "클라이언트는 학벌이 좋지 않은 컨설턴트를 신뢰하지 않는다"는 것과 마찬가지로 재테크업계에서는 "클라이언트는 가난한 재테크 전문가를 신뢰하지 않는다"는 논리 역시 유효할 것이다. 그러므로 (재테크) 전문가라고 주장하는 사람에게 투자 자금을 맡기거나 그 사람의 유료 강의 혹은 책을 구입하기 전에 그의 역량을 판단하는 기준 역시 투자 수익률과 그의 자산 상태가 될 것이고 말이다. 그가 아무리 세계 최고의 대학을 나오고 글로벌 기업의 고위 임원을 지냈다 해도 현재 재산이 무일푼이라면 아무도 그의 말에 귀를 기울이지 않을 것이다. 그리고 바로 여기서 돈을 벌기 위해 자신의 재산을 부풀리며 떠들어대는 그들의 못 말리는 허풍이 시작된다.

그들 중 몇몇은 자신이 최소 OO억대 자산가이며 투자 수익율이 OO%라고 자랑을 해대지만, 그것은 일방적인 그들의 주장일 뿐 객관적으로 검증된 것은 거의 없다. 또한 재산 상태나 (투자) 수익율을 공식적으로 인증할 수 있냐고 따지고 들면 그들은 한 발 뒤로 물러서 버린다. 물론 개중 몇몇은 꽤나 큰 자산가일 수도 있지만, 그런 사람들 역시 자신의 재산을 부풀려서 말하는 때가 많다. 소위 재테크 전문가들 중 일부가 이런 행동을 하는 이유는 그들의 궁극적인 목표가 자신이 부자라는 사실 (혹은 주장)을 통해 사람들이 그의 유료 강의를 듣거나 책을 사거나 혹은 인터넷 채널에 접속하게 해서 돈을 버는 것이기 때문이다. 얼마 전 재테크 관련 책을 출판해 많은 주목을 받은 작가가 한 명 있었는데, 그의 인터뷰를 세세히 읽어 보았더니...세상에나, 세상에나, 자기는 수십 년 간 직장생활을 하면서 OO억에 달하는 재산을 모았다며 구체적인 숫자를 만방에 공포 해버리는 것이 아닌가. 그 진위 여부는 둘째 치고라도 재테크 장사를 하기 위해 남들에게 조금이라도 더 부자로 보이려고 하는 것은 아닌가 하는 의구심을 좀 처럼 떨쳐 낼 수가 없었다.

한 번 생각해 보시라. 돈 많은 사람이 돈 많다고 여기저기 자랑질하고 다녀서 얻을 수 있는 것이 과연 무엇일지. 똥 주위로는 똥 파리가 몰려들듯 돈 주위로는 돈 파리가 몰려드는 것이 세상 이치가 아니던가. 최근 연봉이 수백 억 원에 달한다고 소문이 자자했던 한 학원 강사는 돈을 노린 강도들에게 납치될 뻔 한 일이 있었으며, SNS를 통해 자신의 재력을 과시해 온 또 다른 강사는 특별 세무 조사를 당할 위기에 처해 있다. 또한 거액의 계약금을 받은 한 프로야구 선수는 신문을 통해 이 사실을 알고 찾아온 지인들에게 수 억 원을 빌려 줬다가 다 날렸다는 소문도 무성하고 말이다. 아니, 멀게도 말고 우리네 경우만 봐도 그렇지 않은가. (상대적으로) 돈 잘 버는 친구에게 들러 붙어 밥 사라, 술 사라 강요하고, 알고 지내던 사람이 로또에라도 당첨됐다 치면 "너 돈 많으니까 나 천 만 원만 줘라"하며 졸라대고, 부자였던 친구가 무일푼이 되어 도움을 청하면 바로 안면 몰수하는 것이 인간이다. 결론적으로 돈 많다고 여기저기 자랑질하고 다녀봐야 득 될 것 하나 없다는 것.

(다 그렇진 않겠지만) 자기가 돈 많다고 자랑을 늘어놓는 사람은 아마 다음 세 가지 경우일 가능성이 높다. 첫 번째는 (앞에서 얘기한 것처럼) 자기가 돈 많다는 것을 떠벌려 책이나 유료 강좌를 팔거나 혹은 투자를 대행해 주겠다며 수수료 등으로 돈을 벌려는 사람. 두 번째는 그냥 과시하고 주목 받는 거 좋아하는 관종 (낱낱이 따지고 보면 그의 자산은 얼마 되지 않는 경우가 많다). 세 번째는 가진 것이라고는 돈밖에 없는 졸부. 하지만 이 셋은 언제든 치명적인 물리적 위험에 처할 가능성이 매우 높다. 얼마 전 자신의 재산을 끊임없이 SNS 등에 과시했다가 돈을 노린 강도단에 의해 애꿎은 가족이 피해를 보는 경우

도 있지 않았던가. (간혹 극심한 가난에 시달리다가 자수성가해서 부자가 된 사람 중에 어릴 적 결핍에 대한 보상심리로 자신의 부를 과시하는 이들도 있긴 하지만 그리 흔한 경우는 아니다. 그리고 진짜배기 부자들은 자신이 정말로 신뢰할 수 있거나 혹은 아주 친한 사람들에게는 부를 과시하곤 하지만 아무한테나 대놓고 무차별적으로 과시하는 경우는 많이 없다. 그에 대한 이유는 이미 위에서 설명했다).

돈 많다고 과시히며 이를 이용해서 한 몫 챙기려는 사람, 그리고 이런 사람을 맹목적으로 추종하며 일확천금

을 노리는 이들을 풍자하는 그림이 하나 있으니, 그것이 바로 위에 보시는 'the blind leading the blind(눈 먼 자가 눈 먼 자를 인도한다)'가 되겠다. 그림체나 내용에서도 유추할 수 있듯이 이 작품은 (앞서 몇 차례 소개한 바 있는) 브뤼헐의 작품이니. 이 그림은 본래 성경에 나오는 눈 먼 자의 우화를 소재로 삼고 있는데, 눈 먼 자가 눈 먼 자를 이끌면 모두 구렁텅이에 빠져 목숨을 잃을 수도 있듯이 그릇된 자의 인도를 받으면 잘못된 길로 들어서 파국에 이를 수도 있다는 가르침을 주고 있다. 브뤼헐은 그와 동시대를 살았던 일부 종교 지도자들이 마치 눈 먼 맹인처럼 중생을 잘못 인도하여 구렁텅이에 빠뜨리는 참상을 그림을 통해 준엄하게 꾸짖고 있는 것.

저런 몇몇 엉터리 종교인들처럼 자신의 자산이 얼마 되지도 않으면서, 어떻게 투자해야 돈을 벌 수 있는지에 대한 전문 지식도 별로 없으면서, 또한 지금까지 (연 10% 대의) 꽤나 높은 수익률을 기록한 적도 거의 없으면서 재테크 장사를 하기 위해 재산을 과시하는 것을 넘어 자신이 제공하는 정보만이 유일한 진리라고 떠들어 대는 자들이야말로 다른 눈 먼 자들을 제일 앞에서 이끄는 또 다른 눈 먼 자라고 할 수 있을 것이다. 물론 그들이 제공하는 정보 중에는 투자에 어느 정도 도움이 되는 것도 있을 것이고, 그들의 투자와 관련된 조언 역시 일부는 유익할 수도 있을 것이다. 하지만 그들의 말을 맹목적으로 따른다면 일순간에 전 재산을 날릴 수도 있다. 앞서 언급했던 칼 세이건의 명언 (당신이 사실이라고 믿고 싶다고 해서 그것을 맹목적으로 믿는 것은 매우 위험하다. 왜냐면 권위를 가진 사람들의 말을 의심해야만 큰 손해를 방지할 수 있기 때문이다. 오직 치밀한 검토 후에도 살아 남는 것만이 진리이다)을 가슴 속에 품고 언제나 의심하고 의심하고 또 의심하면서 주도면밀한 추가 검증을 거친 후에 따라야 할 것이다. 만일 이러한 검증 작업이 버겁다고 느껴지거든 그냥 저들을 포함한 남의 말은 30% 정도만 믿기 바란다. 자기 입으로 10억 벌었다는 사람은 "음, 한 3억 벌었구나"로, 또 투자 수익율이 연 10%를 충분히 상회한다고 주장하는 사람에 대해서는 "흠, 대충 뭐 은행 적금 이자 정도 버는구나", 뭐 이 정도로 말이다.

컨설팅으로 얘기를 시작했으니 컨설팅에 대한 얘기로 끝맺도록 하자. 필자는 모 대기업(A사)에 재직 중이던 2000년대 초에 글로벌 1, 2위를 다투는 컨설팅 펌인 B사 및 C사 등과 직간접적으로 프로젝트를 같이 한 적이 있었는데, 수 십억 원이 소요된 B사의 컨설팅이 마무리되어 그 결과를 최고 경영자에게 보고하자 그 분께서는 "역시 컨설팅은 그냥 얘기만 들어야지 그대로 따라서 하면 큰일 날 것 같아"라고 한 마디로 일축해 버리셨으니. 그리고 A사에 대한 컨설팅을 담당했던 B사의 한 컨설턴트는 (A사) 임원으로 스카우트 되었다가 약 2년 후에 자의반 타의반 회사를 떠나시게 되었는데, 그 때도 최고 경영자께서는 한 마디 하셨으니. "남들 훈수만 해보던 사람이라 사업을 맡기기에는 좀 그렇네." 끝으로 C사와의 컨설팅은 본래 OO억을 주고 6개월 간 진행하려던 프로젝트였는데 결과적으로는 가격을 (원래 금액에서) O억을 깎고 기간도 4개월로 단축시켜 버렸다. 그 이유는 중간 결과를 보고 받으신 최고 경영자께서 다음과 같이 한 마디 하셨기 때문에. "우리가 직접 해도 저거 보단 훨씬 잘하겠다. 돈 아깝네…" 그

분의 말씀을 이 장의 결론으로 대신하도록 하겠다.

자, 여기까지가 제1권의 내용이 되겠고, 2권에서는 이에 이어 (미술관에서 배운) 실제 투자의 요령에 대해서 설명하도록 하겠다. 자, 그럼 2권에서 만나요! ^^.

Disclaimer

1. 본 서적은 투자와 관련된 정보를 담고 있으나 시점
   과 상황에 따라 그 정확성에 차이가 날 수 있습니다.

2. 실질적인 투자나 그 투자로 인한 손실은 모두 직접
   적인 투자관련 판단을 한 투자 주체에게 귀속됩니다

3. 어떠한 경우에도 본 서적은 주식을 포함한 투자의
   법적 자료의 증빙자료로 사용될 수 없음을 밝힙니다.

4. 본 서적은 일반적인 재테크와 관련된 내용을 담고
   있을뿐 특정 종목 혹은 주식 투자에 대한 투자 권유
   를 하지 않았습니다.

참고 서적

미학 오디세이, 진중권 지음, 휴머니스트(2014년)

'무서운 그림 1/2/3', 나카노 교코 지음 (이연식 옮김), 세미콜론(2008년)

그림값의 비밀, 양정무 지음, 창비 (2022년)

'부의 미술관', 니시오카 후미히코 지음 (서수지 옮김), 사람과 나무사이(2021년)

벌거벗은 미술관, 양정무 지음, 창비 (2021년)

'기묘한 미술관', 진병관 지음, 빅피시(2021년)

'교수대 위의 까치', 진중권 지음, 휴머니스트(2009년)

'미술관에서 만난 범죄 이야기', 이미경 지음, 드루(2023년)

사건 파일 명화 스캔들, 양지열 지음, 이론과 실천(2023년)

검은 미술관, 이유리 지음, 아트북스(2011년)

'불편한 미술관', 김태권 지음, 창비(2017년)